rowohlts monographien
begründet von Kurt Kusenberg
herausgegeben
von Uwe Naumann

Winston Churchill

mit Selbstzeugnissen
und Bilddokumenten
dargestellt von
Sebastian Haffner

Rowohlt

Dieser Band wurde eigens für «rowohlts monographien» geschrieben
Die Bibliographie besorgte Clemens Heithus (2001)
Herausgeber: Kurt Kusenberg · Redaktion: Beate Möhring
Schlußredaktion: K. A. Eberle
Umschlaggestaltung: Werner Rebhuhn

Veröffentlicht im Rowohlt Taschenbuch Verlag,
Reinbek bei Hamburg, April 1967
Copyright © 1967 by Rowohlt Taschenbuch Verlag GmbH,
Reinbek bei Hamburg
Alle Rechte an dieser Ausgabe vorbehalten
Gesetzt aus der Linotype-Aldus-Buchschrift
und der Palatino (D. Stempel AG)
Gesamtherstellung CPI books GmbH, Leck, Germany
ISBN 978 3 499 50129 6

22. Auflage Februar 2015

Inhalt

Winston Churchill, 1942

Church ist Kirche, und Hill ist Hügel. Der Name Churchill klingt im Englischen etwa so, wie im Deutschen der Name Kirchberg klingt: nach Landadel. Und Landadel, aus dem englischen Südwesten, waren die Churchills, bis zur Wende des 17. zum 18. Jahrhundert, als die Familie, oder doch ein Zweig von ihr, in den Hochadel aufstieg. Dies geschah durch einen außerordentlichen Sproß des Geschlechts, der 1650 als John Churchill geboren wurde und 1722 als Herzog von Marlborough, erster seines Namens, starb: ein Charakter wie aus einem Shakespeareschen Königsdrama, Höfling und Genie, Diplomat und Hochverräter, Feldherr und Staatsmann.

Marlborough war auf dem Höhepunkt seines Lebens Herz und Seele des gewaltigen europäischen Koalitionskrieges, der die Vorherrschaft Ludwigs XIV. brach und den die Geschichtsbücher, trokken und ein wenig abwertend, als Spanischen Erbfolgekrieg bezeichnen. Dieser Krieg war fast eine Churchillsche Familienaffäre zu nennen. John Churchill, der Herzog von Marlborough, schmiedete die Koalition und hielt sie zusammen, er führte den Krieg politisch und – an der Seite des Prinzen Eugen – militärisch; sein Bruder George Churchill kommandierte die englische Flotte, sein Bruder Charles Churchill war sein bester militärischer Unterführer; und der glänzendste General auf der andern Seite, James Fitzjames, Herzog von Berwick und Marschall von Frankreich, war ebenfalls ein Churchill: der natürliche Sohn Arabella Churchills, der Schwester des großen Marlborough, und des letzten Stuartkönigs, Jakobs II.

Aber mit dieser Explosion militärischen Talents schien die Lebenskraft des Geschlechts für lange Zeit erschöpft. Die Churchills waren nun Hochadel, eine der paar hundert Familien, die England besaßen und regierten. Aber die englische Geschichte der nächsten anderthalb Jahrhunderte erwähnt keinen von ihnen. Erst in den achtziger Jahren des 19. Jahrhunderts brach ein Churchill wieder in diese Geschichte ein, und zwar, wie seine Zeitgenossen nicht müde wurden zu bemerken, «wie ein Meteor». Das war Lord Randolph Churchill, dritter Sohn des Siebenten Herzogs von Marlborough und Vater Winston Churchills.

Um Verwirrung zu vermeiden: Die englische Adelsverfassung ist anders als die kontinentaleuropäische. Nur der älteste Sohn eines Herzogs (oder Fürsten oder Grafen) erbt den «Titel». Die jüngeren

John Churchill, Herzog von Marlborough (1650–1722).
Stich von Pieter van Goust nach einem Gemälde von
Adriaan van der Werff

Söhne sind noch Titularlords, aber führen bereits wieder den Familiennamen und sitzen im Unterhaus, nicht im Oberhaus, gelten also rechtlich bereits als bürgerlich, wenn sie auch gesellschaftlich, für die Eingeweihten, durchaus zum Hochadel zählen – ebenso wie i h r e Söhne, die überhaupt keinen Titel mehr haben. So erklärt es sich, daß ein Sohn des Herzogs von Marlborough Lord Randolph Churchill hieß, und dessen Sohn einfach Mr. Winston Churchill –

bis er im hohen Alter mit dem Hosenbandorden wieder den persönlichen Adel erwarb und «Sir Winston Churchill» genannt wurde.

Zurück zu Lord Randolph. Seine kurze, glänzende und groteskt-tragische Geschichte überschattet das Leben seines Sohnes in mehr als einem Sinn, und mit ihr muß jede Biographie Winston Churchills beginnen.

Lord Randolph hatte mit seinem großen Vorfahren Marlborough einen Zug gemein: jäh zupackende, geniale Intuition. Als erster Churchill seit dem großen John hatte er wieder Genie – aber freilich die Art von Genie, die in vielen überzüchteten Familien erst wieder zugleich mit Dekadenz auftaucht. Marlborough war, bei tiefer, verdeckter Leidenschaftlichkeit, ein äußerst selbstbeherrschter Mann gewesen, bestrickend höflich, von kühlem Charme, geduldig, berechnend und fast übermenschlich ausdauernd. Sein Nachfahr war von dem allen das Gegenteil: maßlos, hochfahrend und wegwerfend, verletzend bis zur Grobheit, dabei selbst höchst verletzlich, warmherzig, ritterlich bis zur Don Quichotterie, tollkühn, ja toll – ein «toller Kerl», wie man wohl bewundernd sagt; aber viele sprachen auch von seiner «Tollheit» in einem wörtlicheren, Ernst absprechenden Sinn: Die alte Königin Victoria zum Beispiel nannte ihn auf dem Höhepunkt seines kurzen Ruhms ganz ernsthaft und böse einen «Geisteskranken». Tatsächlich starb er schließlich in geistiger Umnachtung. Er wurde nur 45 Jahre alt.

Ein «toller Kerl». Mit 24 Jahren trieb er sich, nach einem glänzend bestandenen Oxford-Examen, in Frankreich herum, nichtstuend und auf die Auflösung des Unterhauses wartend, für das er kandidieren sollte. Dort begegnete er eines Tages einer der großen Schönheiten des Jahrhunderts, einer Amerikanerin französisch-schottischer Abstammung mit einem Schuß Indianerblut, Jennie Jerome. Binnen 48 Stunden war er mit ihr verlobt. Ihr Vater war ein scharfer New Yorker Geschäftsmann, Millionär, aber auch Parvenü und Exzentriker. Die Familie Churchill war entsetzt über die beabsichtigte Verbindung; daher war es dann auch der Vater Jerome («diese Amerikaner sind stolz wie der Satan»). Ein halbes Jahr später waren die beiden jungen Leute dann doch verheiratet – vor dem Standesamt der Britischen Botschaft in Paris. Weitere sieben Monate später kam ihr erster Sohn zur Welt, in der Damengarderobe von Schloß Blenheim, der mehr als königlichen Residenz, die sich der große Marlborough einst als Monument errichtet hatte: Jennie hat-

Lord Randolph Churchill

te trotz ihrer vorgerückten Schwangerschaft darauf bestanden, dort zum Ball eingeladen zu werden. Beim Tanz überkamen sie die Wehen. Sie strebte, «durch den längsten Korridor Europas», aus dem Ballsaal zu ihrem Schlafzimmer, kam aber nur noch bis zur Damengarderobe. Dort, zwischen Samtmuffs, Pelzmänteln und Federhüten, hatte sie eine Sturzgeburt. Es war der 30. November 1874, und der Sohn, dem sie so das Leben gab, war Winston Churchill.

Anderthalb Jahre später spielte sich in der Londoner großen Welt eine schlimme Affäre ab, in deren Mittelpunkt Lord Randolph stand. Es handelte sich um eine verheiratete hochadlige Dame, die eine Geliebte erst des Prinzen von Wales (des späteren Eduard VII.), dann aber des älteren Bruders Lord Randolphs geworden war. Der tiefgekränkte Prinz machte sich jetzt zum Vorkämpfer von Zucht und Sitte, er bestand auf einer Doppelscheidung und Heirat des künftigen Herzogs mit der Dame. Lord Randolph, erbittert für seinen Bruder in die Schranken springend, erklärte in Gesellschaft, ein Scheidungsprozeß würde unfehlbar gewisse Briefe ans Licht bringen, «die der Feder und dem Gedächtnis Seiner Königlichen Hoheit entglitten waren».

Darauf forderte ihn der Prinz von Wales zum Duell. Lord Randolph: Er werde sich mit jedem Stellvertreter schlagen, den der Prinz zu benennen beliebe; gegen seinen künftigen Souverän könne er die Waffe nicht erheben. Der Prinz: Er werde kein Haus mehr betreten, das die Churchills empfange. Nun legte sich der Premierminister, der weise alte Disraeli, ins Mittel. Er überredete den alten Herzog von Marlborough, als Vizekönig nach Irland zu gehen und seinen wilden Sohn als Privatsekretär mitzunehmen, bis Gras über die Geschichte gewachsen sei. Der Herzog hatte ein früheres Angebot dieser Ehrenstellung abgelehnt, der ungeheuerlichen Kosten wegen, die mit dem vizeköniglichen Aufwand verbunden waren. Jetzt nahm er seufzend an. Die Churchills gingen in ihr glanzvolles Exil, und so kam es, daß die frühesten Erinnerungen des kleinen Winston Churchill irische Erinnerungen wurden – Erinnerungen an die schrecklichen Sinnfeiner, an Paraden und Attentate, an ein Theater, das plötzlich abgebrannt war, gerade als er sich auf die Kindervorstellung freute ...

Blenheim Palace in Woodstock (Oxfordshire)

Benjamin Disraeli (Lord Beaconsfield).
Xylographie nach einer Fotografie

Lord Randolph aber wurde in Irland zum Politiker. Vorher war er eher das gewesen, was man heute einen «Playboy» nennt; Irland weckte seinen politischen Sinn. Als der Dreißigjährige 1879 nach London zurückkehrte und seinen Sitz im Unterhaus wieder einnahm, brachte er etwas mit, das damals kein anderer englischer Politiker hatte: eine Konzeption, von der bis zum heutigen Tage alle konservativen Parteien Europas ihr Leben fristen: «Tory Democracy».

Die heraufkommende Demokratie schien den meisten damals den natürlichen Tod jeder konservativen Adels- und Traditionspartei zu bedeuten, und 1880 herrschte unter den englischen Konservativen tiefer Pessimismus. Der alte Zauberer Disraeli war abgetreten, der große Liberale Gladstone war wieder Premierminister, und mit seinem Rezept, das Wahlrecht ständig zu erweitern – jetzt durften schon Bergarbeiter und Tagelöhner wählen, unerhört! –, schien er in der Lage, den Konservativen, also der Partei der Reichen, Vornehmen und Privilegierten, immer mehr das Wasser abzugraben und die Liberalen, die Partei des Bürgertums, des Fortschritts, der Reform, zur ewigen Regierungspartei zu machen. Warum sollten Bergarbeiter und Tagelöhner, und eines Tages wohlgar Fabrikarbeiter, je konservativ wählen? Der einzige, der das für möglich hielt, war der tolle Lord Randolph Churchill.

Er war aber in diesem Fall gar nicht toll, er war vielmehr weitblickend. Er sah, was heute jeder sieht – und damals noch keiner sonst sah –, daß der Liberalismus im Grunde eine Mittelstandsbewegung war und daß die proletarischen, ungeschulten, ausgelieferten Massen, denen er das Wahlrecht gab, in Wahrheit leicht zum Wählerreservoir einer selbstbewußten Herrenpartei zu machen waren, die ihnen zu imponieren verstand und nicht zu stolz war, sie mit Demagogie – und auch mit echtem Verständnis für ihre Nöte – zu umwerben und zu bestechen. In seiner politischen Konzeption verbanden sich bonapartistische Nach- und faschistische Vorklänge mit echtem Noblesse oblige – noch heute ist es schwer, die echten und die falschen Töne in seinen Reden auseinanderzuhalten. Er war ein Demagoge von hohen Graden. Das Erstaunliche ist, daß er zugleich ein wirklicher, tiefblickender Staatsmann war – tiefer blickend sogar als Bismarck, der sich damals mit demselben Problem herumschlug, ohne es je so recht zu lösen. Freilich, England hatte keine Sozialdemokratische Partei.

Um es kurz zu machen, in nur sechs Jahren, zwischen 1880 und 1886, seinem eigenen dreißigsten und sechsunddreißigsten Lebensjahr, machte Lord Randolph Churchill die Konservativen wieder zur Regierungspartei (und zwar, wie sich herausstellen sollte, auf zwanzig Jahre) und sich selbst zum berühmtesten, populärsten, meistkarikierten und bestgehaßten Politiker Englands.

Auch zum bestgehaßten – und das nicht nur bei den Liberalen, die er mit einer für England unerhörten Schärfe, Grobheit und wilden Witzigkeit angriff und verfolgte, sondern auch bei den Führern seiner eigenen Partei, altväterlich-vornehmen, gediegen-hochmütigen Männern, die den tollen Churchill mit leichtem Dégout und kopfschüttelndem Unbehagen für ihre Sache wüten sahen und denen er mit unverhüllter Verachtung heimzahlte.

Als er erst unentbehrlich geworden war, gewöhnte er sich an, alles, was er wollte, mit herrischen Rücktrittsdrohungen durchzusetzen. Zwischen zwei der mächtigsten Konservativen, Lord Salisbury und seinem Neffen Arthur Balfour – beide künftige Premierminister –, fand Anfang 1884 folgender schriftlicher Gedankenaustausch über ihn statt:

«Ich neige zu der Auffassung, wir sollten allen Streit mit Randolph vermeiden, bis er sich durch irgendeinen illoyalen Akt gegen die Partei flagrant ins Unrecht setzt.» (Balfour)

«Randolph und der Mahdi beschäftigen mich zu ungefähr gleichen Teilen. Der Mahdi spielt verrückt, aber ist in Wirklichkeit ganz klar im Kopf. Mit Randolph steht es genau umgekehrt.» (Lord Salisbury)

Trotzdem machte Lord Salisbury, als er 1886 seine lange Premierministerschaft antrat, diesen Verrückten, dem er sie verdankte, zu seinem zweiten Mann, Schatzkanzler und Minister für das Unterhaus – im Effekt Vizepremier. Das war im August 1886. Im Dezember desselben Jahres trat Lord Randolph von allen seinen Ämtern zurück, und fortan war er politisch ein toter Mann. Es war der plötzlichste, gründlichste und grundloseste politische Selbstmord, den die englische politische Geschichte kennt, und englische Politiker haben bis heute nicht aufgehört, die Schauermär davon kopfschüttelnd weiterzuerzählen.

Der Grund für Lord Randolphs Rücktritt war trivial: Ein Streit mit dem Kriegsminister um das Armeebudget, wie er zwischen Finanzminister und Kriegsminister alle Tage vorkommt. Lord Randolph hatte sich allerdings hochfahrenderweise angewöhnt, solche Konflikte nicht geduldig auszutragen, sondern sie mit der Rücktrittsdrohung des Unentbehrlichen kurzerhand für sich zu entscheiden. Vielleicht wollte er das auch diesmal tun und war überrascht, als seine Rücktrittserklärung auf einmal angenommen wurde.

Die Umstände seines Rücktritts hatten etwas Hochexzentrisches:

Er schrieb sein Rücktrittsge-
such im Königlichen Schloß
Windsor, nach einer Audienz
mit der Königin und auf ihrem eigenen königlichen
Briefpapier (was sie ihm nie
verzieh), und er nahm sich
die Mühe, selbst damit zur
«Times»-Redaktion zu fahren
und dafür zu sorgen, daß die
Nachricht am nächsten Morgen brühwarm in der Zeitung
stand. Nicht einmal seiner
Frau hatte er etwas gesagt. Er
hielt ihr beim Frühstück das
Zeitungsblatt entgegen: «Eine
Überraschung für dich.»

Vielleicht hatte die alte,
weiblich-nüchterne Königin
Victoria recht, die einfach sagte: «Der Mann ist geistes-

Robert Arthur Talbot Lord Salisbury.
Fotografie von Bassano

krank.» Vielleicht handelte es sich wirklich um ein euphorisches Vor-
stadium des paralytischen Zusammenbruchs, der sich ein paar Jahre
später offen ankündigte und der ihn schließlich mit kaum 45 Jahren
auslöschte. Aber damit ist das Grotesk-Großartige seiner weltverach-
tenden, weltwegwerfenden Geste so wenig erklärt – oder gar entwür-
digt – wie der ungefähr gleichzeitige «Zarathustra» seines Zeitgenossen Nietzsche mit dessen herannahender medizinischer Katastrophe. Vielleicht steigert die Krankheit Genie und Charakter ins Unheimliche, Nicht-mehr-Geheure, aber sie macht sie nicht. Es kommt
darauf an, w e r krank wird.

Wer die Welt wegwirft, hat sie verloren, mit der einen großen
Geste ist alles vorbei, eine weitere Steigerung gibt es nun nicht mehr.
Lord Randolph hatte sich überflüssig gemacht, es gab in England
nichts Rechtes mehr für ihn zu tun. Er ging auf Weltreisen, die ihn
langweilten, schrieb hochbezahlte, aber indifferente Zeitungsartikel,
versuchte ein aussichtsloses politisches Comeback, das nur den be-
ginnenden Verfall peinlich enthüllte. Vor die letzten, armen Jahre
Lord Randolph Churchills zieht man am besten einen Vorhang.

Victoria, Königin von England

In diesen Jahren stand ein Lebenstrost für ihn bereit, den er nicht sah. Inmitten der befriedigten Schadenfreude, die seinen Sturz begleitete, in den Jahren des Achselzuckens, der allgemeinen Abwendung, schließlich gar – letzte Demütigung – des aufkeimenden Mitleids, die ihm folgten, behielt der Gestürzte einen glühenden Bewunderer, Anhänger und Jünger: seinen jungen Sohn Winston. Er nahm keine Notiz davon, es tröstete ihn nicht, im Gegenteil, es trug zur Verbitterung seiner späten Jahre bei, daß dieser Sohn in seinen Augen ein Versager war, minderbegabt und hoffnungslos. Die Mißachtung des bewunderten Vaters wiederum trug dazu bei, die Jugend des Sohnes zu vergiften: eine ohnehin dunkle Jugend.

Winston Churchill hat später über seine Knaben- und Jünglingsjahre – sein siebentes bis neunzehntes Lebensjahr – geschrieben: *Im Rückblick sind diese Jahre nicht nur die unerfreulichste, sondern auch die ödeste und unfruchtbarste Zeit meines Lebens. Ich war ein glückliches Spielkind gewesen, und seit ich erwachsen bin, habe ich mich von Jahr zu Jahr glücklicher gefühlt. Aber die Schuljahre dazwischen bilden auf der Landkarte meines Lebens einen trüben grauen Fleck. Sie waren eine ununterbrochene Folge von leidvollen Erfahrungen, die damals alles andere als geringfügig schienen, und von freudlosen Mühen, bei denen nichts herauskam: Jahre der Unlust, des Zwanges, der Einförmigkeit, der Sinnlosigkeit.*

Was er selber nicht sah, was der entfernte Beobachter aber deutlich erkennen kann, war, daß es auch Kampfjahre waren, und zwar die schwersten eines an Kämpfen nicht armen Lebens: Jahre eines völlig aussichtslosen, nie zu gewinnenden, aber auch nie aufgegebenen Kampfes. Der Knabe Churchill verweigerte ganz einfach einer übermächtigen, überwältigenden Erziehungsmaschine, der er unterworfen wurde, die Unterwerfung. Er trotzte ihr – und wurde infolgedessen aufs schrecklichste von ihr zugerichtet. Er profitierte nicht von seiner teuren und langen Erziehung – wenn man es nicht einen Profit nennen will, daß er früh, grausam früh, lernte, einen ungeheuren Druck widerstehend zu ertragen, ohne zu zerbrechen. «Die Engländer», verkündet eine

Der Sechsjährige

auf der Insel geläufige Redensart, «säugen ihre Jungen nicht.» Wie vieles, das allgemein über «die Engländer» gesagt wird, trifft das nur auf die englische Oberklasse zu, auf diese aber bis zum heutigen Tag; und weit mehr noch als heute galt es in den Jahren, da diese Klasse in ihrer Sünden Maienblüte stand und der kleine Winston Churchill in sie hineingeboren wurde.

Für Familienleben hatte diese Klasse keine Zeit. Ein Kind lernte seine Eltern erst als Erwachsener kennen. Im Alter von einem Monat kam das Baby in die Hände einer Kinderfrau, die fortan die Mutter ersetzte. (Diese Kinderfrau, Mrs. Everest, liebte der kleine Winston Churchill innig. Als sie ihn später auf seiner Public School in ihrem Kapotthütchen besuchte, umarmte er sie vor der ganzen Klasse – ein Akt äußersten moralischen Muts. Als sie starb, war der zwanzigjährige Husarenleutnant bei ihr, und bei ihrem Begräbnis sah man ihn weinen. Ihr Bild hatte noch der Premierminister des Zweiten Weltkriegs an der Wand seines Arbeitszimmers.) Im vierten oder fünften Lebensjahr trat eine Gouvernante dazu, die Anfangsunterricht erteilte. Mit sieben Jahren ging es in das erste Internat, die Vorbereitungsschule, mit dreizehn ins zweite, die Public School. Beide Schulen waren Prügelhöllen und Kameradschaftsparadiese; beide waren ganz bewußt darauf angelegt, ihre Zöglinge zu zerbrechen und dann anders wieder zusammenzuleimen. Wenn die Absolventen dieser berühmten englischen Schulen mit achtzehn oder neunzehn Jahren nach Oxford oder Cambridge gingen, besaßen sie bereits alle eine genormte, nicht unattraktive, aber allerdings künstliche zweite Persönlichkeit, gestutzten Bäumen in französischen Barockgärten vergleichbar. Mit Einundzwanzig oder Zweiundzwanzig traten sie dann ins Leben, machten, wenn es gut ging, die Bekanntschaft ihrer Eltern und waren fertig abgerichtet, der Welt zu imponieren, sie auf eine ganz bestimmte Art zu verachten und, bei entsprechender Begabung, sie zu beherrschen.

Dies Erziehungssystem ist alterprobt und versagt selten. Seine Zwänge sind mächtig und furchtbar, seine Suggestionskraft ist fast unwiderstehlich. Der eine oder andere zerbricht an ihm, die meisten überstehen seine Härten und werden mehr oder wenig willig, mehr oder weniger vollständig, von ihm geformt und geprägt. Später blicken sie auf ihre Schuljahre als die glücklichsten ihres Lebens zurück.

Warum widersetzte sich der junge Churchill, warum ließ er sich

Mit der Mutter und dem Bruder (rechts)

auf einen aussichtslosen Kampf gegen einen fast unwiderstehlichen Zwang ein? Man kann nur antworten: Eben weil es ein Zwang war. *Meine Lehrer,* schreibt er später, *hatten Zwangsmittel in weitgehendem Maße zur Verfügung, aber alles prallte an mir ab. Wo mein Interesse, meine Vernunft oder meine Phantasie nicht aufgerufen waren, wollte ich oder konnte ich nicht lernen. In den ganzen zwölf Jahren meiner Schulzeit hat mir niemand je beizubringen vermocht, einen richtigen lateinischen Satz zu schreiben.* Und an anderer Stelle: *Gegen Latein hatte ich ein angeborenes Vorurteil, das mir anscheinend den Verstand verriegelte.*

Warum gerade gegen Latein? Vieles in Churchills grimmiger Schulzeit läßt sich nur erraten, aber hier kennen wir einmal aus seiner eigenen Schilderung das traumatische Urerlebnis, das ihm gegen Latein für immer *den Verstand verriegelte.* Es war sein erstes Schulerlebnis überhaupt. Er war sieben Jahre alt, und seine Mutter hatte ihn in der vornehmen St. James-Schule in Ascot abgeliefert, wo er fortan leben sollte.

Als das leise Geräusch der Räder, die meine Mutter entführten, verklungen war, forderte mich der Direktor auf, ihm alles Geld, das ich besaß, auszuhändigen. Ich zog meine drei Silberstücke hervor. Der Betrag wurde ordnungsmäßig in ein Buch eingetragen... Dann verließen wir das Zimmer des Direktors und den behaglichen Privatflügel des Hauses und betraten die frostigen Schul- und Wohnräume der Zöglinge. Ich wurde in ein Klassenzimmer geführt und mußte mich an ein Pult setzen. Die anderen Jungen waren alle draußen, und ich sah mich allein mit dem Klassenlehrer. Er zog ein dünnes Buch mit einem grünlich-braunen Umschlag hervor, angefüllt mit Worten in verschiedenen Drucktypen.

«Latein hast du bisher noch nicht gehabt, nicht wahr?» sagte er.
«Nein, Sir.»

«Dies ist eine lateinische Grammatik.» Er schlug eine stark abgegriffene Seite auf und wies auf zwei Reihen eingerahmter Wörter. «Das hast du jetzt zu lernen», sagte er. «In einer halben Stunde komme ich wieder und höre dich ab.»

So saß ich denn an einem trüben Nachmittag in einem trüben Schulraum, Weh im Herzen und die erste Deklination vor mir.

mensa	der Tisch
mensa	o Tisch
mensam	den Tisch
mensae	des Tisches
mensae	dem Tische
mensa	von oder mit dem Tisch

Was zum Henker sollte das bedeuten? Was hatte es für einen Sinn? Reines Kauderwelsch schien es mir. Nun, eins konnte ich wenigstens tun: auswendig lernen. Also nahm ich denn, soweit es mein innerer Kummer gestattete, die rätselhafte Aufgabe in Angriff.

Nach einiger Zeit kam der Lehrer zurück.

Fünfzehn Jahre alt, 1889

«Hast du's gelernt?» fragte er.

«Ich glaube, ich kann es aufsagen», antwortete ich und schnurrte die Lektion herunter.

Er schien befriedigt, und das gab mir Mut zu einer Frage. «Was bedeutet denn das eigentlich, Sir?»

«Das, was da steht. Mensa, der Tisch. Mensa ist ein Hauptwort der ersten Deklination. Fünf Deklinationen gibt es. Du hast den Singular der ersten Deklination gelernt.»

«Aber», wiederholte ich, «was bedeutet es denn?»

«Mensa bedeutet der Tisch», war die Antwort.

«Warum bedeutet dann aber mensa auch: O Tisch», forschte ich weiter, «und was heißt das: O Tisch?»

«Mensa, o Tisch, ist der Vokativ.»

«Aber wieso: O Tisch?» Meine angeborene Neugierde ließ mir keine Ruhe.

«O Tisch – das wird gebraucht, wenn man sich an einen Tisch wendet oder ihn anruft.»

Und da er merkte, daß ich ihm nicht folgen konnte: «Du gebrauchst es eben, wenn du mit einem Tisch sprichst.»

«Aber das tu ich doch nie», fuhr es mir in ehrlichem Erstaunen heraus.

«Wenn du hier frech wirst, wirst du bestraft werden, und zwar ganz gehörig, das kann ich dir versichern», lautete seine endgültige Antwort.

Der Hinweis des Klassenlehrers auf Bestrafung, fährt Churchill in seinen Erinnerungen fort, sollte sich nur allzugut bestätigen. Prügel mit der Birkenrute, à la Eton, waren großgeschrieben in der St. James-Schule. Aber ich bin überzeugt, kein Schüler von Eton und ganz bestimmt keiner von Harrow hat je so furchtbare Schläge bekommen, wie sie der Direktor den seiner Obhut und Gewalt anvertrauten kleinen Jungen verabreichen ließ. Die Härte der Behandlung übertraf alles, was in staatlichen Besserungsanstalten geduldet worden wäre. Die Lektüre späterer Jahre hat mir Aufschlüsse gegeben über die möglichen Hintergründe solcher Grausamkeit.

Der kleine Churchill war damals sieben Jahre alt. Zwei Jahre blieb er auf der St. James-Schule. Er lernte nicht, er wurde wieder und wieder grausam verprügelt, er lernte noch immer nicht, er zertrat eines Tages aus Protest den Strohhut des Direktors (man kann sich vorstellen, mit welchen Folgen), er lispelte, er begann zu stottern; seine Eltern merkten nichts, wenn er zu den Ferien nach Hause kam, sie schickten ihn immer wieder in seine Hölle zurück, zwei Jahre lang. Dann brach schließlich seine Gesundheit zusammen – er war noch nicht ganz neun Jahre alt –, und seine Eltern erschraken und schickten ihn auf eine andere Schule, nach Brighton an der See – der guten Seeluft wegen.

Die Schule in Brighton war ein bißchen weniger vornehm und ein bißchen milder, aber sie war vom selben Zuschnitt, und wie auch immer: der Schaden war getan. Der junge Churchill lernte auch in Brighton nichts, und auch später in Harrow nicht, wo er eigentlich gar nicht hätte aufgenommen werden dürfen – er gab bei der Aufnahmeprüfung in Latein und Mathematik leere Blätter ab; aber der Direktor fand, man könne dem Sohn des berühmten Lord Randolph Churchill nicht gut die Aufnahme verweigern. Er war dann in Harrow ein ewiger Sitzenbleiber. Nur in Englisch exzellierte er, gegen alles andere *war sein Verstand verriegelt*. Er war auch im Schulsport ein trotziger Versager, er haßte Kricket und Fußball ebenso wie Latein und Mathematik, er schloß auch keine Schulfreundschaften. Es war klar, er hatte gegen die Schule, den Schulzwang, den Schulstil sein Herz verhärtet, er war in einen inneren Streik getreten, und er hielt ihn dumpfentschlossen durch – alles in allem zwölf Jahre lang. Die teure Schule war an ihn verschwendet. Er verließ sie ungezähmt und ungeprägt, auch unerzogen und ungebildet. Unter den Engländern seiner Klasse, ja unter den Engländern überhaupt, machte es ihn später sein Leben lang ein wenig zum Fremdling, daß er trotz seiner Jahre in Harrow eben kein wirkliches Produkt der englischen Public-School-Erziehung geworden war – kein Mann des Understatement und der arroganten Bescheidenheit, kein Kricketspieler, kein glattgeschliffener «Gentleman», sondern eher ein Charakter aus Shakespeares England, das noch keine Public Schools kannte. Und auch eine solide konventionelle Bildung hat ihm, trotz späteren eifrigen Selbststudiums und trotz gewaltiger eigener Leistungen auf literarischem und kriegsgeschichtlichem Gebiet, immer gefehlt.

Daß er seinen Vater nie wirklich kennenlernen durfte, war das zweite große Trauma seiner Jugend. Er hatte seinen Aufstieg und Sturz mit glühender Parteinahme verfolgt; die Reden des berühmten Mannes, dessen Sohn er war, verschlang er Tag für Tag in der «Times», die vielen Karikaturen von ihm im «Punch» studierte er in seinem Schulzimmer so eifrig wie kein Schulbuch. *Es schien mir wirklich, schrieb er später, daß mein Vater den Schlüssel zu allem oder doch fast allem besaß, was das Leben lebenswert macht. Sobald ich aber den leisesten Versuch wagte, mich ihm kameradschaftlich zu nähern, zeigte er sich sofort verletzt, und als ich einmal vorschlug, seinem Privatsekretär bei seiner Korespondenz zu helfen, machte er mich zu Eis erstarren.*

Ein einziges herzliches Gespräch mit seinem Vater bewahrte der Sohn lange wie eine Kostbarkeit. Und selbst das hatte damit angefangen, daß der Vater ihn hart angefahren hatte, und zwar weil er ihn erschreckt hatte – mit einem Flintenschuß auf ein Kaninchen im Garten. Winston war damals schon achtzehnjährig und Kadett in Sandhurst, Lord Randolph schon nur noch ein Schatten seiner selbst. Nachdem er seinen Sohn ausgescholten hatte und sah, wie bedrückt er darüber war, tat es ihm leid, und er entschuldigte sich. *Er sprach davon, daß ältere Leute nicht immer genügend Verständnis für junge hätten, daß sie mit ihren eigenen Angelegenheiten beschäftigt seien und daher bei einer unerwarteten Störung leicht einmal aufbrausen.* Er erkundigte sich freundlich und wie von fern nach des Sohnes Bewandtnissen, fragte ihn nach seinem bevorstehenden Eintritt in die Armee, stellte ihm ein kleines Rebhuhnschießen in Aussicht... *Zum Schluß sagte er: «Denke immer daran, daß mir so manches im Leben schiefgegangen ist. Jede meiner Handlungen wird mißdeutet, jedes meiner Worte wird mir im Munde umgedreht... Also hab ein bißchen Nachsicht mit mir.»* Das war alles. Für den Sohn und Verehrer war es ein so ungewohntes Glück, daß er die Worte noch ein Menschenalter später auswendig wußte.

Eine andere mißverstandene Beglückung – mit weiterreichenden Folgen – hatte es schon drei Jahre früher gegeben. Der Vater war an einem Ferientag in das Knabenzimmer des Fünfzehnjährigen gekommen und hatte eine Weile zugesehen, wie dieser mit seinem jüngeren Bruder eine gewaltige Zinnsoldatenschlacht aufbaute (er besaß eine ganze Division von Zinnsoldaten, und er spielte immer noch hingegeben und sachgerecht damit). Schließlich hatte Lord Randolph seinen Sohn gefragt, ob er wohl Soldat werden wolle. Der Sohn war begeistert von so viel Teilnahme und Verständnis; seine Antwort war ein eifriges «Ja». Sie entschied über Winston Churchills nächste Lebensperiode. Lord Randolph hatte sich zu der resignierenden Überzeugung durchgerungen, sein Sohn sei für alles andere zu unbegabt; das Militär war das einzige, was für ihn übrig blieb.

*Churchill (links) mit zwei Klassenkameraden von der
Kadettenanstalt Sandhurst, 1894*

Auch damit gab es dann noch trüben Ärger. Winston fiel zweimal bei der Aufnahmeprüfung für das Kadettenkorps durch, und
das dritte Mal bestand er mit einer so schlechten Note, daß es nur
für die Kavallerie reichte. (Kavalleristen durften dümmer sein als
Infanteristen, weil sie reicher sein mußten; Pferde waren teuer.)
Lord Randolph hatte schon an den Chef eines berühmten Infanterie-
regiments geschrieben, um seinen Sohn dort zu placieren. Nun mußte er einen beschämten Verzichtbrief hinterherschicken. Auch waren
Pferde eben teuer, und die Churchills waren nicht reich – das heißt,
sie waren schon, was man reich nennt, aber unter Reichen arm, ohne eigenes Vermögen, und hochverschuldet. Lord Randolph schrieb

seinem Sohn einen strengen Vaterbrief: Wenn er so weitermache, werde er als Niete enden.

Er versuchte sogar später noch, irgendwie den Sohn doch zur Infanterie versetzen zu lassen, aber verlor dann das Interesse. Es war seine letzte Lebenszeit, sein Gesicht war eingefallen unter einem verfremdenden Bart, sein Geist unstet geworden. Als er seinen Sohn zum letztenmal sprach, mußte Lady Churchill ihm schon alles erklären; er nickte dazu, schien mit allem zufrieden und fragte den Sohn mit ferner Leutseligkeit: «Hast du denn nun deine Pferde?» Auf die bejahende Antwort tätschelte er ihm mit abgemagerter Hand das Knie. Auch diese letzte ferne Freundschaftsgeste bewahrte der Sohn lebenslang auf wie einen Schatz.

Der Husarenleutnant

DER JUNGE CHURCHILL

Mit zwanzig war der junge Winston Churchill noch ein hoffnungsloser Schulversager, der nicht einmal das Abitur geschafft hatte, ein
überständiger Kadett, eine Verlegenheit für die eigene Familie, eine
«Niete» in den Augen seines sterbenden Vaters. In den folgenden
fünf Jahren begann die Londoner politische Gesellschaft, von Jahr
zu Jahr ein bißchen mehr, über ihn zu reden – aufhorchend, amü-
siert, gespannt, hie und da schon erwartungsvoll. Als er fünfund-

zwanzig war, sprach ganz England von ihm. Er war ein National-held geworden.

Diese fünf Jahre waren die glücklichste Zeit seines Lebens. Viel später schrieb er, daß sich ihm damals die Welt öffnete *wie Aladins Wundergrotte. Zwanzig bis fünfundzwanzig – das sind die Jahre!*

Er war jetzt Berufsoffizier, Husarenleutnant; und obwohl in Europa tiefer Friede herrschte, brachte er es mit abenteuerlicher Unternehmungslust fertig, an fünf Feldzügen teilzunehmen: in Kuba, zweimal in Indien, im Sudan und schließlich, mit ebenso sensationellen wie weitreichenden Folgen, in Südafrika.

Man traut seinen Augen nicht. Erst die vertrotzte, verlorene, in dumpfem Unglück hingeschleppte Jünglingszeit – und nun dieser Feuereifer. Es ist, als stände plötzlich ein ganz anderer Mensch auf der Bühne. Woher die Verwandlung?

Ein Schlüsselsatz steht in Churchills Jugenderinnerungen. *Von nun an war ich Herr meiner Geschicke.* Den Unzähmbaren versuchte auf einmal nichts mehr zu zähmen: keine Schule, kein Kadettenkorps – und kein überwältigender Vater. Der Tod Lord Randolph Churchills bedeutete das Ende einer großen, hoffnungslosen, verschmähten Liebe. Die tiefe, melancholische Befreiung, die darin lag, ist e i n e Erklärung dafür, daß der junge Winston Churchill mit 21 Jahren wie eine zusammengepreßte, plötzlich entriegelte Feder vorwärtsschnellte.

Die andere ist, daß er, fast zufällig, sofort auf seinen innersten Beruf gestoßen war: auf Krieg.

Man wird das Phänomen Churchill nie verstehen, wenn man ihn einfach als einen Politiker und Staatsmann betrachtet, dem es schließlich auch zufiel, einen Krieg führen zu müssen – etwa wie Asquith oder Lloyd George, Wilson oder Roosevelt. Er war kein Politiker, der sich irgendwie auch im Krieg bewähren mußte; er war ein Krieger, der begriff, daß zur Kriegführung auch Politik gehört. In der Reihe der englischen Premierminister des 20. Jahrhunderts, der Asquith, Lloyd George, Baldwin, Chamberlain, Attlee, steht er wie ein Fremdling aus einer anderen Welt. Auch in die Reihe der großen Berufsmilitärs seiner Zeit gehört er freilich nicht, der Foch und Ludendorff, Marshall, Montgomery, Schukow oder Manstein. Wenn man ihn in die richtige Umgebung placieren will, muß man an ganz andere, ältere Namen denken: Gustav Adolf, Cromwell, Prinz Eugen, Fridericus, Napoleon – auch sein Ahnherr Marlborough gehört dazu, dessen Geistesart in ihm wieder durchschlug.

Alle diese Männer waren Strategen, Politiker und Diplomaten in einem. Alle aber kamen nur im Krieg und durch Krieg auf ihre Höhe, sie waren, wie Napoleon von sich selbst sagte, «für den Krieg geboren», sie verstanden ihn instinktiv in allen seinen Aspekten – dem strategischen, dem politischen, dem diplomatischen, dem moralisch-psychologischen; und alle liebten auch, auf eine dem normalen Menschen schwer verständliche Weise, die krasse Wirklichkeit des Krieges, den Pulverdampf, die Lebensgefahr, den tödlichen Kampf Mann gegen Mann. Einen Krieg als Ganzes zu übersehen und zu planen, und in ihm die Feldzüge, die Schlachten, und sich dann womöglich am entscheidenden Punkt selbst wunderwirkend in die Schlacht zu stürzen – darin fanden diese Kriegsgenies eine Selbsterfüllung und ein Glück, dem (für sie) nichts auf Erden gleichkam. Churchill war von dieser Art.

Der junge Husarenleutnant Churchill wußte das wahrscheinlich selbst noch nicht. Der strategische Genius und Dämon, der in ihm lebte und stoßend und stampfend nach Entfaltung und Selbstverwirklichung drängte, wurde ihm wohl erst im Jahre 1914 ganz bewußt. Was er sofort und mit großem Glücksgefühl entdeckte, als er in der Armee in die Vorhöfe des Kriegswesens geriet, war seine Affinität zum Kriege, sein tiefes, angeborenes Verständnis dafür, die Faszination des Kriegshandwerks, die sein ganzes Wesen durchdrang und spannte. Vorher war er wie ein Fisch auf dem Trockenen gewesen. Jetzt fühlte er sich auf einmal wohl wie ein Fisch im Wasser. Die Internatsdisziplin hatte er mit wilder Auflehnung gehaßt. Die soviel härtere militärische Disziplin liebte er geradezu. *Es liegt ein ganz eigener Zauber in dem Geklirr und Geblitz einer trabenden Kavallerieschwadron; und Galopp steigert den Reiz zur Lust. Das unruhige Schnauben der Pferde, das Knirschen des Sattelzeugs, das Nicken der Federbüsche, der Rausch der Bewegung, das Gefühl, zu einem lebendigen Getriebe zu gehören – Kavallerieexerzieren ist etwas Schönes!* Plötzlich fühlte er sich auch unter seinen Kameraden wohl – obwohl er eigentlich noch weniger zu ihnen paßte als zu seinen Schulkameraden: Sie waren alle, wie es sich für Kavallerieoffiziere gehörte, reich, wohlerzogen und ein bißchen dumm, während Churchill beinahe arm, unerziehbar und ein Intellektueller war.

Ein Intellektueller! Jetzt, da der Lernzwang vorbei war, ergriff ihn plötzlich auch der Lerneifer, und in langen heißen Garnisonstagen in Indien las er wie ein Besessener, alles durcheinander, Platon und Darwin, Schopenhauer und Malthus, vor allem die klassischen englischen Historiker, Gibbon und Macaulay, die seinen eigenen Stil prägten; und alsbald begann er selber ebenfalls zu schreiben.

Exerzieren, lesen, schreiben, die Weltkarte nach kleinen Kriegen absuchen, die es irgendwo geben mochte, und mit List und Gewalt sich einen Platz an der Front verschaffen – aber auch Polo spielen. Polo war damals der eigentliche Lebensinhalt englischer Kavallerieoffiziere in den feudalen Regimentern, und Leutnant Churchill wurde ein Star: Selbst mit gebrochenem und bandagierten Arm brillierte er im entscheidenden Endspiel und verhalf seinem Regiment zu dem begehrten Wanderpokal der indischen Kavallerieregimenter. Kurz, er war glücklich. Und Glück setzte alle seine Lebensenergien frei – von denen er, wie sich jetzt herausstellte, eine doppelte Portion mitbekommen hatte; wohl von seiner Mutter her, der Tochter des amerikanischen Glücksritters und Urenkelin einer Indianerin.

Diese Mutter trat jetzt in sein Leben ein. Vorher hatte sie neben dem vergötterten und unnahbaren Vater kaum eine Rolle gespielt, und auch später trat sie wieder in den Hintergrund. Sie war nicht nur eine ungewöhnlich schöne Frau – noch in diesen neunziger Jahren, selber in ihren Vierzigern, entlockte sie dem uralten Bismarck auf der Kissinger Kurpromenade ganz verlernte Galanterien –, sondern auch eine ungewöhnlich vitale, die nach Lord Randolph noch zweimal heiratete, das letzte Mal mit 68 Jahren. Aber das lag in der Zukunft. In diesen Jahren 1895 bis 1900 interessierte sie sich für ihren plötzlich so hoffnungsvoll gewordenen Sohn, wurde seine Verbündete, gab ihm Geld, machte Pläne mit ihm und ließ ihre vielfältigen Verbindungen in der Londoner großen Welt für ihn spielen. *Wir arbeiteten Hand in Hand wie zwei Gleichgestellte, mehr wie Schwester und Bruder als wie Mutter und Sohn.*

Und wofür ließ sie ihre Verbindungen spielen? Nun, eben dafür, daß Winston überall dabei sein durfte, wo «etwas los war» – wo gekämpft wurde. Dazu mußte er jedesmal von der eigenen Truppe beurlaubt und dem jeweiligen Expeditionskorps zugeteilt werden – als überzähliger Offizier oder Adjutant oder Kriegsberichterstatter oder auch als alles zugleich. Das erste Mal war das leicht, das zweite Mal schon schwerer, beim viertenmal war es ein Abenteuer in sich selbst. Aber Mutter und Sohn schafften es jedesmal; beim viertenmal – es handelte sich um Kitcheners Sudan-Expedition von 1897, bei der Leutnant Churchill in der Schlacht von Omdurman die letzte große Kavallerieattacke der englischen Kriegsgeschichte mitritt – mußten allerdings schon der Kriegsminister und der Premierminister eingespannt werden, denn Kitchener wollte den jungen Churchill durchaus nicht dabei haben. Der junge Mann hatte sich schon zu auffällig gemacht, nicht nur durch sein ewiges Vordrängen, sondern noch mehr durch die vorlauten Kritiken, die er dann nach seinen militärischen Erfahrungen jedesmal öffentlich zum besten gab.

Denn so ganz nebenbei hatte der junge Churchill in diesen fünf schönen Jahren auch schon seinen zweiten Beruf entdeckt. Krieg war der erste. Der zweite: Literatur.

Es fing damit an, daß die vielen Kriegsreisen ja irgendwie finanziert werden mußten. Lord Randolph war arm gestorben – das Vermögen deckte gerade die Schulden –, und auch sein Sohn war, für einen Kavallerieoffizier in einem feudalen Regiment, eher arm. Seine Mutter gab ihm 500 Pfund im Jahr – ein ganz hübsches Stück Geld in jenen Zeiten, aber natürlich reichte es nicht hin und nicht her. Gottlob war es damals noch nicht verboten, daß Offiziere sich nebenbei als Kriegsberichterstatter betätigten, und so wurde der junge Winston zum Journalisten. Sein erster Artikel begann: *Erste Sätze sind etwas Schwieriges – in einem Zeitungsartikel nicht weniger als in einer Liebeserklärung*. Die Artikel waren nicht erfolglos, die Honorare stiegen langsam, und bereits nach seinem zweiten Feldzug beschloß Churchill, nicht nur Zeitungsartikel, sondern ein Buch daraus zu machen: *The Story of the Malakand Field Force*. Es wurde in literarischen Kreisen freundlich aufgenommen wegen der lebhaften, plastischen und dramatischen Kampfschilderungen, in militärischen weniger freundlich wegen der Kritik, die er höchst unbefangen an all und jedem übte: der Feldzugsführung, der Nachschuborganisation, dem ganzen Armeesystem, an dem der selbstsichere junge Autor viel auszusetzen fand. Der junge Mann hatte ein ungewöhnliches Zutrauen zum eigenen Urteil und nahm kein Blatt vor den Mund. Er zeigte auch, auf eine gewissermaßen unschuldige Art, einen strategischen Sinn, einen Feldherrnblick, der ihm weiß Gott woher angeflogen war; eine professionelle Qualifikation und Legitimation konnte er dafür nicht nachweisen. Aber wenn das seine Vorgesetzten verstimmte, so fanden es deren Vorgesetzte, die wirklich Großen der Londoner Welt, nun wieder amüsant; besonders bei

Horatio Herbert Lord Kitchener.
Fotografie von Bassano

dem Sohn eines so berühmt-berüchtigten Vaters. In der militärischen Welt, so sehr er sie liebte, war er schließlich nur ein kleiner Leutnant. Als Schriftsteller bekam er Einfluß, fast schon ein wenig Macht zu kosten.

Er blieb also beim Schreiben. Als nächstes schrieb er einen Roman, den er später gern vergessen sehen wollte, und als drittes sein erstes Meisterwerk, *The River War*, eine breit angelegte Darstellung der englisch-ägyptisch-sudanesischen Kolonialverwicklungen und Feldzüge, gipfelnd in seiner eigenen Omdurman-Erfahrung und einer beißenden Kritik an Lord Kitchener, der nach dem Sieg das Grab des besiegten Mahdi entweiht hatte. *So sah die Ritterlichkeit der Sieger aus.* Im *River War* fand Churchill zum erstenmal instinktiv eine ihm ganz eigene Form, die er später unverändert auf seine gewaltige Darstellung der beiden Weltkriege anwandte: eine Mischung von Geschichte und Autobiographie, Analyse und Augenzeugenbericht. Er genoß das Buchschreiben kaum weniger, als er die Abenteuer, Gefahren und Triumphe des Krieges genoß, die den Gegenstand seiner Bücher bildeten; die Liebe zum Wort war ihm so angeboren wie die Liebe zum Krieg: *Ein Buch zu schreiben, macht Freude.*

Buchschreiben hatte noch andere Vorteile. Es war verhältnismäßig einträglich – während die Leutnantsexistenz, besonders wenn man sie so großzügig betrieb wie Leutnant Churchill, allmählich etwas beängstigende Schulden mit sich brachte. Und es führte zu Höherem. Der junge Mann mit dem berühmten Namen und der kritischen Feder fand Beachtung bei den Mächtigen. Minister und Staatssekretäre luden ihn ein, sogar der Premierminister, der alte, gewaltige Salisbury, der nun schon 13 Jahre lang fast ununterbrochen regierte, fand es der Mühe wert, ihn sich anzusehen. Der junge Churchill konnte allmählich nicht mehr umhin, zu bemerken, was von ihm erwartet wurde: in die Politik zu gehen, Abgeordneter zu werden – konservativer Abgeordneter natürlich; etwas anderes kam für einen Churchill gar nicht in Frage. Türen öffneten sich; er brauchte nur einzutreten. Karriere, Macht und Ruhm warteten auf ihn – auch Abenteuer, Kampf und Gefahr. Konnte er zögern? *Politik ist beinah so aufregend wie Krieg – und ebenso gefährlich*, sagte er zu einem journalistischen Kollegen; und als dieser leise Zweifel anmeldete: *Im Krieg kann man nur einmal abgeschossen werden, aber in der Politik oft und oft.* Worte des Übermuts; er wußte noch nicht, wie prophetisch sie waren.

So hatte der junge Churchill auch seinen dritten Beruf zu entdecken begonnen, den unumgänglichen, alles umfassenden: Politik. Er war komplett.

Die politischen Anfänge Churchills waren unsicherer, tastender als seine militärischen und literarischen, und ein eigentlicher Meister des politischen Fachs ist er nie geworden. Er war kein geborener Politiker, so wie er ein geborener Kriegsmann und ein geborener Schriftsteller war. Krieg und Wort «lagen» ihm – lagen i n ihm. Politik lag ihm eigentlich nicht. Sie wurde ihm durch seine Umwelt aufgenötigt: In England war Politik nun einmal der einzige Weg nach ganz oben – und dorthin wollte er freilich, unbedingt.

1899 fand sich, früher als erwartet, ein Wahlkreis für ihn, allerdings kein aussichtsreicher: Oldham, eine Arbeiterstadt, wo eine Nachwahl fällig war. Churchill tat sein Bestes, aber er verlor, wie erwartet: Seine parlamentarische Laufbahn, die mehr als ein halbes Jahrhundert umspannen sollte, begann mit einem Fehlstart. Das war keine Katastrophe, aber ärgerlich. Einen kleinen Augenblick im Sommer 1899 hing der junge Churchill, nach vier glänzenden Abenteuer- und Aufstiegsjahren, ein wenig in der Luft: Von der Armee hatte er im Frühjahr seinen Abschied genommen, und ins Parlament fand sich fürs erste kein Eingang.

Und dann – er hatte kaum Zeit gehabt, sich Sorgen zu machen – geschah etwas Außerordentliches, das alle Sorgen wegfegte. Es gab so etwas wie einen Knalleffekt, eine große Verwandlungsszene: den Durchbruch.

Das kam so: Im Oktober 1899 brach in Südafrika der Burenkrieg aus. Er brachte für England zunächst nichts als Schocks und Demütigungen. Das britische Weltreich gegen ein paar widerspenstige Bau-

Gefangener der Buren in Pretoria, 1899

25 Pfund Sterling Belohnung für die Festnahme des Gefangenen Churchill

£ 25.-.-

(vijf en twintig pond stg.)
belooning uitgeloofd door
de Sub-Commissie van Wijk V
voor den specialen Constabel
dezer wijk, die den ontvluchte
Krijgsgevangene
Churchill
levend of dood te dezer kantore
aflevert.

Namens de Sub-Comm.
Wijk V

L. de HAAS
Sec

Translation.

£25

(Twenty-five Pounds stg.) REWARD is offered by the
Sub-Commission of the fifth division, on behalf of the Special Constable
of the said division, to anyone who brings the escaped prisoner of war

CHURCHILL,

dead or alive to this office.

For the Sub-Commission of the fifth division,
(Signed) LODK. de HAAS, Sec.

NOTE.—The Original Reward for the arrest of Winston Churchill on his escape from Pretoria, posted on the Government House at
Pretoria, brought to England by the Hon. Henry Massham, and is now the property of W. R. Barton.

ernrepubliken – davon erwartete jeder einen militärischen Spaziergang. Statt dessen brachten die ersten Kriegsmonate eine blamable Niederlage nach der andern, und im November und Dezember 1899 herrschte in England tiefe, fassungslose Niedergeschlagenheit.

In einer solchen Stimmung, wenn alles unbegreiflich schiefgeht und ein Land kopfschüttelnd an sich selbst zu zweifeln beginnt, kann irgendein prächtiges Husarenstückchen eine ganz unverhältnismäßige Bedeutung gewinnen. Es überdeckt dann in den Zeitungen und im öffentlichen Bewußtsein für einen Augenblick alle Niederlagen – so wie eine Hand, dicht vors Auge gehalten, ein ganzes Gebirge verdecken kann.

SECOND EDITION.

MORNING POST, Nov. 17, 6.25 A.M.

THE TRANSVAAL WAR.

ARMOURED TRAIN TRAPPED.

MR. CHURCHILL CAPTURED.

HIS COOLNESS—AND BRAVERY.

FURTHER DETAILS.

COLENSO RAILWAY CUT.

LADYSMITH FIGHTING

BOERS DEFEATED.

FROM OUR WAR CORRESPONDENT.

DURBAN, Nov. 15, 10.25 A.M.

Dritte Schlagzeile: Churchill

Für eine solche Moralspritze sorgte im düstern Spätherbst 1899 der junge Winston Churchill.

An sich war das Abenteuer, das er lieferte, gar nichts so Besonderes: Er geriet in Gefangenschaft, floh und entkam. Derartiges passiert im Krieg alle Tage. Aber diesmal war es eben der einzige Lichtstrahl in einer finstern Nacht voll Hiobsnachrichten – und außerdem war es noch eine so wunderbare «Story».

Zuerst gab es da eine Story von einem Burenüberfall auf einen britischen Panzerzug, bei dem ein beherzter junger Mann die Situation gerettet oder wenigstens halb gerettet hatte. Er war (Sensation!) eigentlich nur ein Kriegsberichterstatter, aber in dem allgemeinen Durcheinander hatte er das Kommando ergriffen (zweite Sensation!), die Lokomotive freigemacht, alle Verwundeten aufgeladen und sie so gerettet. Bei dem Versuch, auch den Rest des Zuges freizukämpfen, war er dann (Sensation!) in Gefangenschaft geraten. Sein Name? Vierte Sensation: Leutnant Churchill, Sohn des berühmten Lord Randolph Churchill, Verfasser vielgelesener und vielumstrittener militärkritischer Bücher!

35

Ein paar Tage später kam dann die Trauer- und Greuelnachricht, die Buren hätten den jungen Churchill erschossen. (Vielleicht hätten sie sogar ein Recht dazu gehabt, da er ja als Journalist und Zivilist in einen Kampf eingegriffen hatte. Er selbst hatte allerdings den Nerv, statt dessen als Journalist und Zivilist seine Freilassung zu verlangen.)

Und wieder ein paar Wochen später eine Jubelnachricht: Churchill lebte – mehr als das, er war frei, mehr als das, er hatte eine abenteuerliche Flucht zustande gebracht!

Und dann – die Geschichte war immer noch nicht zu Ende – all die spannenden Einzelheiten dieser Flucht: Wie er mitten in der feindlichen Hauptstadt, ohne ein Wort der Sprache zu sprechen, über die Lagermauer gesprungen war, wie er, ohne Landkarte, nur ein paar Tafeln Schokolade in der Tasche, tagelang durch die Karu geirrt war, auf fahrende Güterzüge gesprungen war, wie er sich in einem Bergwerk versteckt hatte, sich dort einem englischen Ingenieur zu erkennen gegeben hatte (der noch dazu aus Oldham stammte, seinem Wahlkreis!), wie er schließlich in einem Kohlenzug, unter Kohlenbergen begraben, seinen Weg ins neutrale Mozambique gemacht hatte ...

Mußte das nicht alle Herzen erheben, besonders wenn es sonst nichts als Niederlagen und Enttäuschungen zu berichten gab? Churchill war nun der Held des Tages, und er benahm sich, ganz selbstverständlich, wie man es von einem Helden erwartet: Er ließ sich sofort wieder als Offizier reaktivieren und kämpfte im nächsten halben Jahr im ganzen Feldzug mit, der nun allmählich auch eine Wendung zum Besseren nahm. Und nebenbei schrieb er weiter seine Kriegsberichte und erklärte alles – so lebhaft, so plastisch, so klar verständlich; er erklärte auch, warum alles zuerst so schlecht gegangen war, er nahm kein Blatt vor den Mund, er gab es den verkalkten Generalen und den Konfusionsräten im Kriegsministerium, er wußte auch, wie man es besser und richtig machen mußte – von Krieg verstand er etwas, unser Churchill! Als im Juli 1900 Pretoria genommen wurde, war er bei der ersten Vorauspatrouille, die tollkühn einritt – die Stadt war noch nicht gefallen – und die englischen Gefangenen aus dem Lager befreite, aus dem er damals entflohen war. Glänzender ging's nicht. Das ganze Land sprach immer noch von ihm.

Im Oktober 1900 – der Burenkrieg schien jetzt gewonnen, und

Kriegsberichterstatter in Südafrika, 1899

die Regierung wollte die Siegesstimmung ausnutzen – gab es Neu-
wahlen; und nun nahm Churchill wieder seinen Abschied von der
Armee, stellte sich in seinem neuen Ruhm wieder seinem alten Wahlkreis Oldham, und diesmal gewann er mit Glanz und Gloria. Er
hatte es geschafft, er war durchgebrochen, er war der interessanteste
neue Mann im neuen Parlament, er hatte den Fuß auf der Leiter,
endgültig. Diesen Winter lang lebte er in einem Rausch von Selbst-
bewußtsein, ja Erwähltheitsgefühlen, und faszinierte jeden, dem er
begegnete. Ein journalistischer Kollege, mit dem er die Schiffsreise
von Südafrika nach England teilte, überschrieb kurz darauf einen

enthusiastischen Porträtartikel: «Der jüngste Mann Europas». Nicht mehr nur Englands – Europas! Und als er im Winter seine erste Vortragsreise in Amerika machte (Geld brauchte er immer noch), führte ihn der alte Mark Twain in New York mit den Worten ein: «Meine Damen und Herren, ich habe die Ehre, Ihnen Winston Churchill vorzustellen: Held von fünf Kriegen, Autor von sechs Büchern und künftiger Premierminister von England.» Das war noch ein halber Scherz, aber schon nur noch ein halber; halb war es auch schon Ernst, und der junge Churchill selbst nahm es im Geheimen wohl schon ganz ernst damit.

Vielleicht erklärt dieser Seelenzustand, der von jetzt an lange anhielt, eine merkwürdige Lücke im Leben des jungen Churchill: es gibt in dieser lebensvollen, abenteuerlichen Jugend keine Liebesgeschichte. Man wird nicht anzunehmen brauchen, daß der glänzende Husarenleutnant, oder auch später der junge Politiker und Weltmann, ein Mönchsleben geführt hätte; tatsächlich enthalten seine Jugenderinnerungen ein paar diskret-humoristische Hinweise, daß er kein Fremder bei den «Damen vom Maxim» war: in diesem Fall den Damen von der Promenade des Londoner Empiretheaters. Aber von einer wirklichen Liebe, einer tief ins Leben greifenden Beziehung zu einer bestimmten Frau weiß man nichts; und wenn es eine solche Liebe irgendwann gegeben hätte, würde man es wohl wissen – denn London ist eine klatschfreudige Stadt, und kaum ein Leben ist so vielfach und so gründlich abgeleuchtet und auch durchgehechelt worden wie Churchills, und das von früh an.

Churchill hat spät, mit fast 34 Jahren, geheiratet, und diese Heirat – die eine musterhafte, lebenslange Ehe begründete – ist manchmal als Liebesheirat bezeichnet worden. Sicher war sie keine bloße Vernunft- oder Geldheirat: Die Braut war schön und vornehm, klug und charaktervoll, aber vermögenslos. Sicher war die Grundlage dieser Ehe echte und warme Zuneigung, und der Satz, mit dem Churchill seine Jugenderinnerungen beschließt: *Im Jahre 1908 heiratete ich und lebte fortan herrlich und in Freuden*, ist nur eins von vielen Komplimenten, die er im Laufe der Jahrzehnte seiner Frau gemacht hat. Und doch stockt man bei dem Wort «Liebesheirat» und sucht unwillkürlich nach einem etwas ruhigeren, milderen, nüchterneren Wort als «Liebe». Man braucht nur an die Verlobungs- und Heiratsgeschichte von Churchills Vater und Mutter zu denken, um den Unterschied zu spüren. Es fehlt so völlig das Dramatische, Romantische, Sensationelle, das sonst für Churchills Leben so charakteristisch ist, es war alles so glatt, so unabenteuerlich, so p a s - s e n d; kein «strenges», eher ein ruhiges Glück. Und es ist bezeugt, daß der Bräutigam sich auf seiner Hochzeitsfeier mit Ministerkollegen absentierte, um eifrig Politik zu besprechen...

Nein, man wird sich damit abfinden müssen, daß in diesem abenteuerlichen Leben eines leidenschaftlichen Mannes das große Liebesabenteuer und die große Liebesleidenschaft nicht vorkommen. Es gibt im Leben Churchills keine Katharina Orlow, wie sie Bismarck, keine Inessa Armand, wie sie Lenin fast aus der Bahn geworfen hätte. Was ihn – mehrfach – wirklich aus der Bahn

Mark Twain

warf, waren politische Leidenschaften und militärische Abenteuer; niemals erotische. Churchill war als Politiker alles andere als ein kalter Rechner, er war warmherzig und heißblütig wie kaum ein zweiter; vielleicht gerade deswegen, weil all die Wärme und Hitze, all die Leidenschaft und sogar die Zartheit, die andere in ihrem Privatleben verbrauchen, bei ihm unabgeleitet und unvermindert in seiner öffentlichen Person aufgestaut blieb und in seine öffentliche Wirksamkeit einströmte.

Es gibt nicht wenige große Männer, deren Lebenskapitel als Überschriften passenderweise Frauennamen tragen müßten. Die Lebensabschnitte Churchills müßten eher die Namen der großen Ämter tragen, für die er nacheinander lebte: Wirtschaftsministerium, Innenministerium, Admiralität (eine große, wundervolle, romantisch-tragische Affäre), Rüstungsministerium, Kriegsministerium, Kolonialministerium, Finanzministerium (ein eher sonderbares Zwischenspiel seines gesetzten Alters), noch einmal, nach langer Pause (und zum zweitenmal als Lebenswende) die Admiralität – und dann der späte Lebensgipfel auf der Kommandobrücke des Zweiten Weltkriegs: Dies sind Churchills Liebesgeschichten, dies seine Friderikes und Lottes und Lillies, seine Frau von Stein, seine Christianes, Mariannes und Ulrikes. Hier hat er, jedesmal anders, die ganze Phantasie und Leidenschaft ausgelebt, die in ihm war, hier hat er seinen Himmel und seine Hölle gefunden.

DER RADIKALE

In einem parlamentarisch regierten Staat ist die Heimat eines Politikers seine Partei. In ihr lebt er, in ihr muß er sich durchsetzen und sich bewähren, sie trägt ihn und schirmt ihn, ohne sie ist er nichts, «ein schwankes Rohr, das jeder Sturm zerknickt». Die Partei zu wechseln, besonders in einem Land, wo sich zwei Parteien so festgefügt als feindliche Lager gegenüberstehen wie in England, ist für einen Politiker so etwas wie Emigration − mehr: wie Desertion vor dem Feind.

Wer es tut, lädt sich ein kaum tragbares politisches Handikap auf: Seiner alten Partei gilt er als Verräter, der neuen als ein verdächtiger Fremder. Man kennt kein Beispiel in der englischen Parlamentsgeschichte, daß einer es getan und unbeschädigt überlebt hätte − außer Churchill. Er tat es zweimal, und er überlebte es zweimal − gewiß nicht unbeschädigt, aber triumphierend.

Meist ist ein Parteiwechsel, wenn er schon einmal erfolgt, das Ende einer politischen Karriere. In Churchills Fall war es der Anfang. Es war sozusagen das erste, was er tat, nachdem er Politiker geworden war. Im März 1901 hielt er, als frischgewählter konservativer Abgeordneter, seine Jungfernrede im Unterhaus; im Mai 1904 − am 31. Mai, um ganz genau zu sein − *kreuzte er den Flur des Hauses*: Er überquerte den leeren Raum, der in der langgestreckten, rechteckigen Halle des englischen Parlaments die Regierungspartei von der Opposition trennt, und nahm auf den Bänken der Liberalen Platz.

Das politische England hatte seine Sensation; und es erinnerte sich der Sensation von vor achtzehn Jahren, als Lord Randolph Churchill Amt und Laufbahn weggeworfen hatte. Die Geste des Sohnes glich so ganz der des Vaters: dieselbe herrenhafte, unbekümmerte Nonchalance, derselbe unglaubliche Mut, Hochmut und Übermut, dasselbe Pfeifen auf die Feindschaft ungeheurer, herrschgewohnter Mächte, auch dieselbe scheinbare Launenhaftigkeit und Grundlosigkeit: Denn daß der junge Churchill sich über die Frage «Freihandel oder Schutzzoll», die er zum Anlaß seines Parteiwechsels nahm, jemals tiefe Gedanken gemacht hätte, glaubte ihm niemand. Auch heute besteht kein Anlaß, es zu glauben: Für Wirtschaftsprobleme hat Churchill sonst sein Leben lang eine kavaliersmäßige Gleichgültigkeit gezeigt.

Warum tat er es dann also? Die Antwort der verlassenen und

beleidigten Konservativen war: Opportunismus und Ehrgeiz – hemmungsloser, prinzipienloser, ruchloser persönlicher Ehrgeiz. Und so ganz ist diese Erklärung nicht von der Hand zu weisen. So sehr die Geste des Sohnes der des Vaters glich, e i n Unterschied war augenfällig: Lord Randolph hatte seine Ämter weggeworfen, als die Konservative Partei gerade (hauptsächlich durch sein eigenes Verdienst) frisch ans Ruder gekommen war und eine unabsehbar lange Regierungszeit vor sich hatte; Winston Churchill aber brach mit seiner Partei, als sie, nach achtzehn Jahren im Amt, verbraucht, zerstritten und zerschlissen wirkte und ein Regierungswechsel in der Luft lag. Und noch ein Unterschied war da: Was Lord Randolph weggeworfen hatte, war die Stellung des zweiten Manns in der Regierung gewesen; sein Sohn aber war, als er seiner Partei den Rücken kehrte, ein zwar vielberedeter, aber immer noch sehr junger und unbeförderter Abgeordneter, ein gewöhnlicher «Hinterbänkler» ohne Amt und Würde.

Hier lag vielleicht e i n Grund für seinen tollkühnen Entschluß: Churchill war gekränkt und verletzt – unzweifelhaft nahm er es übel, daß seine Parteiführer ihn drei Jahre lang auf den Hinterbänken schmachten ließen. Er drängte nach Amt und Macht (weniger nach Würde) – drängte danach mit allen Fasern und fand die Existenz eines Hinterbänklers, der nichts tun konnte als Reden halten und bei Abstimmungen gehorsam durch die vorgeschriebene Hammelsprungtür trotten, bald unerträglich.

Jedem, der mit Churchill in seiner politischen Frühperiode – zwischen 1901 und 1914 – zu tun hatte, fiel eines an ihm auf: eine pochende Unruhe, eine angespannte Erwartung, die sozusagen ständig vor Ungeduld von einem Fuß auf den andern trat. Diese innere Unruhe und Ungeduld setzte sich aus zwei Elementen zusammen: der festen inneren Überzeugung, daß er zu etwas Großem bestimmt sei, und der ebenso festen Überzeugung, daß er (wie sein Vater) früh sterben werde. Die erste hat sich bekanntlich als richtig erwiesen, die zweite nicht – was nicht hinderte, daß sie in dieser Zeit genauso stark in ihm war.

Churchill war irreligiös, war nie ein Christ; und wie die meisten Agnostiker war er schicksalsgläubig, abergläubisch, wenn man will. In seinem kurzen Leben hatte er ungewöhnlich oft in akuter Lebensgefahr geschwebt (hatte sie ja in seinen Kriegs- und Abenteuerjahren auch immer wieder gesucht) und war immer wieder heil da-

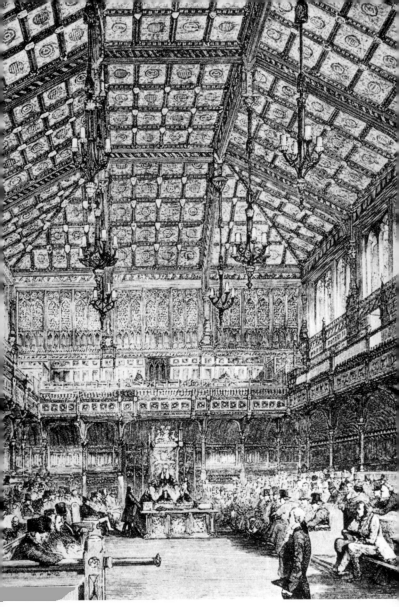

*Das englische Unterhaus (House of Commons) zu Anfang der Regierung
Königin Victorias*

vongekommen, manchmal wirklich wie durch ein Wunder – eine Erfahrung, die sich übrigens später noch mehrfach wiederholte. Ihm waren das unübersehbare, ständig verstärkte Zeichen, daß das Schicksal etwas mit ihm vorhabe; und er war nur allzu bereit, dem Schicksal dabei zu Willen zu sein.

Was es war, wozu das Schicksal ihn aufbewahrt und ausersehen hatte, wußte er in diesen frühen Jahren nicht; aber er stand sozusagen ständig bereit für das unbekannte Signal. Und da er um diese Zeit ebenso fest überzeugt war, daß er früh sterben werde und es also eilig habe, seinen unbekannten Schicksalsauftrag zu erfüllen, mußte es ihn natürlich nahezu zur Verzweiflung treiben, seine Jahre auf den Hinterbänken der Konservativen Partei zu vertun, kleingehalten von alternden Routinepolitikern, die über sein fieberndes Sendungsbewußtsein bestenfalls mitleidig gelächelt haben würden – und die jetzt obendrein selber deutlich am Absacken waren.

Und waren dies nicht genau dieselben hämischen Kleingeister, die seinem Vater Fallen gestellt, ihm das politische Leben verleidet und schließlich seinem politischen Selbstmord mit schadenfroher Genugtuung zugesehen hatten? War der jetzige Premierminister nicht derselbe Arthur Balfour, der vor zwanzig Jahren den altklugen Rat gegeben hatte, «Randolph» in irgendeinen Akt flagranter Verletzung der Parteidisziplin stolpern zu lassen? Churchill schrieb in diesen Jahren die Biographie seines Vaters, die 1905 in zwei Bänden erschien (es ist eines seiner großen Bücher); er durchlebte noch einmal die politischen Dramen der achtziger Jahre, durchlebte sie jetzt sozusagen als Lord Randolph Churchill; die tiefe, unüberwindliche Verachtung Lord Randolphs für seine Parlamentskollegen – eine Verachtung, in der schwer zu unterscheiden war, was daran aus dem vordemokratischen, barocken Herrengefühl des Hocharistokraten, was aus der ungeduldigen intellektuellen Überlegenheit des genial Begabten kam – in seinem Sohn lebte sie jetzt mit aller Kraft noch einmal auf; und wenn er sich von seinem Sitz auf den konservativen Hinterbänken in Westminster umblickte, sah er sich umgeben von all den Gegenständen dieser väterlichen Verachtung: all der kleinlich-taktischen Weisheit, Vorsicht, Berechnung und Beschränktheit, milden Arroganz und altknabenhaften Kameraderie selbstzufriedener reicher und adliger Durchschnittsherren, erfolgreich gealterter Produkte einer lebenslänglich prägenden teuren Prügelerziehung; und gerade jetzt richteten sich diese unerschütterlichen al-

Abgeordneter für Oldham, 1901.
Im Oktober 1900 war Churchill ins Parlament gekommen

ten Herren offenbar achselzuckend, mit mild-überlegener Scherzhaftigkeit, auf ein paar Jahre (oder Jahrzehnte?) in der Opposition ein. Sie waren für den Augenblick am Ende ihres Lateins, mochten die verdammten Liberalen eine Weile regieren! Was? Und diese Jahre, diese Schicksalsjahre, in denen vielleicht Unerhörtes getan zu werden wartete, vielleicht die einzigen Lebensjahre, die der junge Churchill noch vor sich hatte (er würde ja früh sterben!) – die sollte er nichtstuend und kleingehalten, demütig strebend, auf den Oppositionsbänken verbringen, und in dieser Gesellschaft? Danke sehr! Ohne ihn!

45

Arthur James Earl of Balfour

Er ging zu den Liberalen – dorthin, wo Amt, Macht, vielleicht das Schicksal auf ihn warteten.

Natürlich war er dort ein Fremdkörper – aber ein interessanter Fremdkörper und vom ersten Augenblick an eine wichtigere Figur, als er bei den Konservativen je gewesen war. Die englischen Konservativen waren (und sind) eine unerschütterlich selbstzufriedene, phlegmatisch-hochmütige Partei, der nichts und niemand imponiert, am wenigsten Intellekt und Originalität. Sie fühlen sich als die geborenen Herren des Landes, die geborene Regierungspartei – während ihre Gegner, damals noch die Liberalen, immer das heimliche Gefühl haben, daß sie etwas Besonderes brauchen – besonderes Glück, besonders gute Einfälle, besondere Persönlichkeiten –, um ausnahmsweise einmal an die Regierung zu kommen. Daher war ein so ungewöhnlicher Rekrut wie der berühmt-berüchtigte junge Churchill bei den Liberalen hochwillkommen. Fast vom ersten Augenblick an war er, was er bei den Konservativen nie gewesen war und vielleicht noch lange nicht geworden wäre: Ministerkandidat einer künftigen liberalen Regierungsmannschaft. Als die Liberalen mit dem berühmten politischen Erdrutsch vom Januar 1906 dann wirklich an die Regierung kamen, wurde er sofort ein «Juniorminister», parlamentarischer Staatssekretär für die Kolonien; zwei Jahre später saß er als Wirtschaftsminister, dann als Innenminister im Kabinett.

Soweit wäre alles noch einigermaßen erklärlich gewesen. Aber nun geschah etwas Sonderbares, vielleicht das Sonderbarste in Churchills langem politischen Leben. Wenn dieser Hocharistokrat und Ex-Husarenoffizier schon zu den Liberalen überging, so hätte man gemeint, dann würde er jedenfalls so etwas wie der rechte Flügelmann seiner neuen Partei werden. Statt dessen rutschte er binnen weniger Jahre auf ihre äußerste Linke.

Dieser «radikale», beinah revolutionäre Flügel der Liberalen, der zu den großbürgerlichen, maßvollen, hochgebildeten Parteiführern eine Art innerparteilicher Opposition bildete, wurde damals, mit Vehemenz und Brillanz, von einem ganz wilden Mann und Bürgerschreck geführt, einem armen Winkeladvokaten aus dem wildesten Wales: David Lloyd George. Dieser unheimliche Lloyd George – Feuerkopf, politisches Naturgenie, Demagoge, Massenredner ohnegleichen, aber auch, wenn er wollte, ein Charmeur, der «einem Baum die Borke herunterschmeicheln konnte» – hatte einen Plan, vor dem es nicht nur seinen konservativen Gegnern, sondern auch vielen seiner eigenen Parteifreunde schauderte: Er wollte die liberale Regierung in eine Politik sozialer Revolution hineinmanövrieren, die Macht der konservativen Adelsklasse (die er haßte) ein für allemal brechen, ihr die wirtschaftliche Grundlage durch hohe Erbschafts- und Ein-

Lloyd George bei einer Ansprache

Wahlredner Churchill.
Manchester, 1908

kommensteuern unter den Füßen wegziehen, ihre konstitutionelle Bastion, das House of Lords, lahmlegen, zugleich das noch beinah rechtlose Proletariat durch große Sozialreformen für die Liberalen gewinnen. In den Jahren 1908 bis 1911, den innenpolitisch turbulentesten des englischen 20. Jahrhunderts, setzte er diese Politik durch, mit List und Gewalt und atemberaubender politischer Virtuosität nicht nur die Konservativen, sondern seine eigenen Parteiführer überspielend. Er lockte sie auf Wege, von denen sie nichts geahnt hatten.

Und wer war dabei sein größter Helfer, sein Verbündeter und fast schon sein Konkurrent? Kein anderer als der Ex-Konservative Winston Churchill. Es war unglaublich, selbst für die gemäßigten Liberalen eine Sache zum Kopfschütteln, für die Konservativen aber ein Skandal ohnegleichen. Lloyd George war für sie ein Feind, ein Klassenfeind; gut und schön. Aber der andere der beiden «schrecklichen Zwillinge», aber Winston Churchill? Der war ein Judas, ein Renegat, ein Klassenverräter, der eine Hysterie des Abscheus provozierte, wie man sie den wohlerzogenen englischen Konservativen gar nicht zugetraut hätte. Als Churchill 1908 eine Nachwahl verlor (er fand unmittelbar darauf einen andern Wahlkreis, der ihn fast sofort ins Unterhaus zurückwählte), schrieb eine konservative Zeitung: «Churchill ist raus – die Sprache versagt uns, gerade wenn sie am meisten gebraucht wird. Das ist, was wir alle ersehnt haben, mit einer Sehnsucht, für die es keine Worte gibt. Zahlen, ja, die gibt es auch, aber wer hat heute Sinn für Zahlen? Churchill ist raus, r-a-u-s, R-A-U-S!»

Churchill hat später seinen Weg zur Konservativen Partei zurückgefunden; aber nie, nicht einmal in seiner größten Zeit, als die ganze Welt auf ihn blickte, haben ihn die englischen Konservativen je wieder ganz als einen der ihren anerkannt.

Woher aber diese radikale Periode? Er war ja gewiß kein geborener Sozialrevolutionär, eher das Gegenteil; er war nicht einmal von Temperament und Gesinnung ein wirklicher Demokrat, eher ein Romantiker und Barockmensch mit tief aristokratischen Instinkten. Freilich, zu diesen Instinkten gehörte auch, wie schon bei seinem Vater, ein wirklicher Sinn für «Noblesse oblige», eine beinah königliche Generosität – und ein weiches Herz. Und dazu die Schicksalsgläubigkeit, die sich plötzlich aus so unerwarteter Richtung angerufen fühlte! War es vielleicht das, wozu ihn das Schicksal aufgespart hatte – ein großer aristokratischer Volkstribun, ein englischer Gajus Gracchus, ein hochherziger Heiland der Armen zu werden? Wenn es so sein sollte – er war bereit.

Eine Tagebuchnotiz eines liberalen Unterhauskollegen aus dem Jahre 1908 gibt einen Schlüssel: «Winston nahm mich mit und ich lag auf dem Bett, während er sich umzog und dann im Zimmer hin und her marschierte, gestikulierend und ungestüm, alle seine Hoffnungen und Pläne und all seinen Ehrgeiz heraussprudelnd. Er ist voll von den Armen – er hat sie gerade entdeckt. Er glaubt, er ist von der Vorsehung dazu bestimmt, etwas für sie zu tun.»

Das war das eine. Das andere aber war, daß hier ein wirklicher Kampf entbrannt war – und einem Kampf hat Winston Churchill nie widerstehen können. Es war Klassenkampf – nicht, was er erwartet hatte, nicht, was er sich ausgesucht hätte; aber Kampf war Kampf. Er hätte möglicherweise auch auf der anderen Seite stehen können, hätte eigentlich wohl gar, kühl überlegt, auf die andere Seite g e h ö r t. Aber dazu war es nun zu spät, und zu kühler Überlegung keine Zeit. Nachdem er einmal auf dieser Seite war und der Kampf da war, lag es in seiner Natur, sich ganz hineinzuwerfen, und zwar radikal, rückhaltlos und mit aller Kraft.

Und etwas Drittes kam hinzu, etwas Persönliches: eine rätselhafte, und auch wieder nicht so rätselhafte, faszinierte persönliche Hingezogenheit zu dem großen wirklichen Volkstribunen, mit dem er

Das Brautpaar: Churchill und Clementine Hozier.
Die Hochzeit fand im September 1908 statt

sich in diesem Kampf verband, zu Lloyd George. Äußerlich kann man sich kaum zwei verschiedenere Männer denken: Churchill ein englischer Aristokrat, Lloyd George ein walisischer, keltischer Fast-Proletarier; Churchill ein in die Tagespolitik verschlagener kriegerischer Romantiker, Lloyd George ein mit allen Wassern gewaschener Berufspolitiker und Realist; Churchill mit seinem höchst diskreten und konventionellen Privatleben, Lloyd George ein berüchtigter Frauenjäger, vor dem keine Sekretärin sicher war; Churchill von striktester finanzieller Sauberkeit (bis ihn 1919 eine Erbschaft finanziell unabhängig machte, verdiente er jeden Pfennig, den er ausgab, und war oft in Geldsorgen); Lloyd George, schlicht gesagt, korrupt – er war der einzige englische Politiker des Jahrhunderts, der in seiner Amtszeit ein riesiges Vermögen anhäufte. Churchill beinah selbstmörderisch gefahrliebend und mutig; Lloyd George physisch eher ängstlich und nervös. Churchill mit seiner eigenen Klasse tief zerfallen; Lloyd George ihr Held und Vorkämpfer.

Und doch verband die beiden etwas, was sie von all den anderen prominenten Ministern der liberalen Ära trennte – hochgebildeten, feinbürgerlichen, würdigen, vielleicht etwas gipsernen Figuren, die damals «ein Kabinett von lauter ersten Geigen» bildeten und bezeichnenderweise alle nachher im Kriege versagten. Sogar Asquith tat das, der Premierminister, ein Mann von ungewöhnlicher Autorität, Urteilsschärfe, Verstandeskraft und politischer Könnerschaft. Er

50

war vielleicht der größte Friedenspremier, den England im 20. Jahrhundert gehabt hat, aber im Kriege versagte er – während Lloyd George, damals ein «ungesunder» Linksradikaler und fast ein Pazifist, bekanntlich später, als es darauf ankam, England im ersten Weltkrieg zusammenriß und zum Siege führte, wie Churchill im zweiten. Das verborgen Kriegerische einte die beiden, auch ein künstlerischer Zug, auch ein phantastisch-hasardierender: Beide trieben

Lloyd George und Winston Churchill auf dem Weg zum Parlament, 1910

Mit der Mutter, 1911

Politik mit einer Leidenschaft und einem persönlichen Totaleinsatz, der bürgerliche Normalpolitiker erschreckt hätte, und oft wirklich erschreckte. Beide, kurz gesagt, hatten Genie, beide waren Besessene – dem ruhigen Normalengländer tief verdächtig, aber dabei von einer dämonischen Urkraft, die sie wieder und wieder unwiderstehlich machte; auch, wie sollte es anders sein, füreinander.

Wobei nicht zu übersehen war, daß sie zugleich Konkurrenten waren. Beide hatten maßlosen Ehrgeiz; eines Tages, das war klar, würde an der äußersten Spitze kein Raum mehr für beide von ihnen sein. Aber einstweilen war die Frage eher, ob auch nur für einen von ihnen dort Raum sein würde, ob der massierte gesunde Durchschnitt ihnen nicht den Weg nach oben ein für allemal versperren würde. Und so lange waren sie natürliche Verbündete, Brüder und Kampfgefährten, die sich an wetteifernder Kühnheit und Radikalität überboten: «schreckliche Zwillinge» in den Augen ihrer Gegner.

Dem Premierminister Asquith war diese Partnerschaft längst unheimlich geworden. Sie nötigte ihn oft, weiter zu gehen, als er eigentlich wollte; auch witterte er in ihr eine Kraft, die ihn eines Tages stürzen konnte. So sprengte er sie schließlich. Die Art, wie er es tat, macht seinem politischen und psychologischen Scharfblick alle Ehre.

Er tat etwas ganz Einfaches: Er machte Churchill zum Ersten Lord der Admiralität, zum Marineminister – und zwar, perfekt abgezielt, in einem Augenblick, in dem, zum erstenmal für England, Krieg in Sicht war, nach dem Agadir-Zwischenfall und der Marokko-Krise im Sommer 1911.

Er hatte in dem Radikalen Churchill den Krieger Churchill diagnostiziert – und er hatte richtig geschlossen, daß er dem Krieger nur eine Aufgabe zu stellen brauchte, um den Radikalen los zu sein. Fortab war Churchills «radikale Periode» wie weggeblasen. Die Armen waren vergessen. Das Schicksal hatte offenbar doch anderes, Größeres, mit

Herbert Henry
Earl of Oxford and Asquith

ihm im Sinn, als «etwas für sie zu tun». Von dem Oktobertag 1911 an, an dem er die Admiralität übernahm, führte Churchill im Geiste Krieg. Zwei Jahre zuvor hatte Churchill als Wirtschaftsminister noch, zusammen mit Lloyd George als Finanzminister, der Marine, mitten im Flottenwettrüsten mit Deutschland, das Geld für neue Dreadnoughts verweigert: Die Zwillinge brauchten das Geld für ihre Sozialreformen, und sie wollten auch die konservativen Admirale ärgern. Jetzt legte Churchill Jahr für Jahr die exorbitantesten Marine-Etats der englischen Finanzgeschichte vor. Lloyd George protestierte vergebens. Die Partnerschaft war zu Ende.

Asquith hatte noch in einem andern Sinne richtig gerechnet. Die englische Flotte von 1911 war die größte, die England je gehabt hatte, aber keineswegs die modernste. Sie hatte an die hundert Jahre keinen Seekrieg mehr zu führen gehabt, sie war alt und stolz und verholzt, ein wenig wie die friderizianische Armee in napoleonischen Zeiten. Sie brauchte einen Mann, der sie aufmöbelte. Asquith hatte erst an Lord Haldane gedacht, der gerade die englische Armee reformiert hatte; aber er wußte, was er tat, als er sich schließlich doch lieber für den viel jüngeren Churchill entschied.

Churchill und Admiral John Lord Fisher bei der Arbeit

Churchill war immer noch ein unerfahrener, etwas unheimlicher, etwas unberechenbarer Politiker. Aber er hatte sich zugleich von Anfang an als ein höchst zuverlässiger, durchschlagkräftiger und allseitig verwendbarer Fachminister erwiesen. Administration lag ihm im Grunde weit mehr als Politik, und Asquith hatte es mit Scharfblick erkannt. Dieser junge Churchill war eben weit eher eine Herrschernatur als eine eigentliche Politikernatur – Herrschen, Befehlen, Ordnen, Regieren war weit mehr seine Sache als Manövrieren, Kombinieren und Intrigieren. Und als Minister konnte er herrschen – in einem beschränkten Bereich, aber eben doch herrschen. Wenn dieser Bereich dann noch ein kriegerischer war, war alles andere für ihn vergessen. Asquith sah es und nutzte es klug aus.

Churchill aber, nun knapp 37 Jahre alt, war in seinem Element wie noch nie. Er regierte jetzt die größte Flotte der Welt, regierte sie fast absolut, ohne daß ihm jemand hineinredete. Er reorganisierte sie, gab ihr einen Admiralstab, stülpte all ihre Kriegspläne um, ließ die ganze Flotte von Kohleheizung auf Ölheizung umstellen, ließ größere Schiffsgeschütze bauen, als je gebaut worden waren, und ganz neue Schiffstypen für sie konstruieren – und er tat

Erster Lord der Admiralität

Kaisermanöver 1913: Churchill neben Wilhelm II.

das alles, ohne seine Admirale und Kapitäne zu reizen und zu verärgern. Im Gegenteil, er machte sich äußerst beliebt bei ihnen, reiste von Hafen zu Hafen und von Schiff zu Schiff, trank mit den Offizieren in ihren Kajüten und hörte sich ihre Beschwerden, Sorgen und Vorschläge an. Er wußte es so einzurichten, daß sie alle fanden, er sei ihr Mann, er führe endlich aus, was sie längst vergeblich erstrebt hatten.

Jahre vorher hatte der alte Admiral John Fisher, jetzt über siebzigjährig, pensioniert und zum Lord Fisher erhoben, die englische Flotte zu reformieren und zu modernisieren versucht und sich darüber mit so ziemlich allen anderen Admiralen und Flottenoffizieren bis zur Todfeindschaft verkracht. Churchill holte jetzt den Alten aus seiner Zurückgezogenheit und machte ihn heimlich zu seinem Brains Trust. Der Alte, ein wilder Seebär und genialer Halbverrückter, exzentrisch und verbittert, immer noch stockvoll mit unausgeführten Ideen wie mit ungeborenen Kindern, sah mit glitzernden Augen, wie der Junge wie mit einem Zauberstab das verwirklichte, woran er sich jahrelang die Zähne ausgebissen hatte. Er schrieb Churchill wahre Liebesbriefe: «Geliebter Winston» und «Der Ihre, bis die Hölle einfriert». Churchill seinerseits blickte bewundernd zu ihm auf; er war immer wieder in Versuchung, ihn trotz seines Alters und seiner Schrullen zu seinem «First Sea Lord», seinem Flottenchef, zu machen.

Er schob es immer wieder bedauernd auf: Fisher war zu exzentrisch, zu schwierig im Umgang, zu verhaßt bei seinen Kameraden. Schließlich tat er es dann doch, zu seinem Unheil.

In allem, was er in der Admiralität unternahm, hatte Churchill bereits den großen Krieg gegen Deutschland und die deutsche Flotte vor Augen, von dessen unvermeidlichem Kommen er seit der Agadir-Krise von 1911 fest überzeugt war. An der Wand hinter seinem Schreibtisch in der Admiralität ließ er eine Riesenkarte der Nordsee anbringen, auf der jeden Tag mit kleinen Nadeln die Position jedes deutschen Schiffes markiert werden mußte, und sein erster Blick beim Hineintreten galt jeden Tag dieser Positionskarte. Konn-

Mit der Familie, 1914

te der Krieg nicht jeden Tag und jede Stunde ausbrechen, vielleicht mit einem überraschenden Flottenüberfall wie der Russisch-Japanische Krieg von 1904? Er jedenfalls wollte sich nicht überraschen lassen.

Churchill hatte nichts gegen Deutschland und die Deutschen, er war gern zu Gast bei den Kaisermanövern gewesen, er bewunderte mit fachmännischem Blick die alte deutsche Armee und die junge deutsche Flotte, und auch als er gelegentlich bemerkte, daß die Flotte für Deutschland «eine Art Luxus», für England aber eine Lebensnotwendigkeit sei – was ihm in Deutschland äußerst übelgenommen wurde –, war das nicht weiter böse gemeint; nur eben eine Anmerkung, die ja im übrigen durchaus eine Wahrheit enthielt. Alles das änderte nicht das Geringste daran, daß er den Krieg mit Deutschland seit 1911 für unvermeidlich hielt; ihn im Geiste schon jetzt täglich durchspielte; und aufs tiefste fasziniert davon war. Er war nun einmal ein Krieger. Der Gedanke an Krieg spannte seinen Geist zu höchster, lustvoll-inspirierter Anstrengung. Und auch sein «Ehrgeiz», sein Schicksalsglaube ließ alle seine Nerven angenehm erzittern bei dem Gedanken an den kommenden Krieg, dem er sich gewachsen, ja zu dessen Führung er sich berufen fühlte wie keiner weit und breit. Er glaubte jetzt zu wissen, wozu ihn das Schicksal bestimmt hatte.

Am Abend des Septembertages im Jahre 1911, auf dem Landsitz des Premierministers, wo ihm seine Ernennung zum Chef der Admiralität angekündigt worden war, hatte er abergläubisch eine Bibel aufgeschlagen, die dort auf dem Nachttisch lag. Was er gelesen hatte, war folgendes:

«Höre, Israel! Du wirst heut über den Jordan gehen, daß du hineinkommest, einzunehmen das Land der Völker, die größer und stärker sind denn du, große Städte, vermauert bis in den Himmel,

ein großes, hohes Volk, die Enakiter, die du kennst, von denen du auch gehört hast: Wer kann wider die Kinder Enak bestehen?

So sollst du wissen heute, daß der Herr, dein Gott, vor dir hergeht, ein verzehrendes Feuer. Er wird sie vertilgen und wird sie unterwerfen vor dir her, und du wirst sie vertreiben und umbringen bald, wie dir der Herr geredet hat.»

Churchill war nicht bibelgläubig, aber diesem Orakel glaubte er.

Als knapp drei Jahre später der Krieg ausbrach, war es für Churchill keine Erschütterung, kaum eine Neuigkeit. Am Sonnabend, dem 1.

August 1914, hatte er abends zwei Freunde zu Tisch. Einer von ihnen hat später berichtet, was dann geschah:

«Plötzlich wurde eine große Depeschenbox ins Zimmer gebracht. Churchill zog seinen Geheimschlüssel aus der Tasche, öffnete die Box und entnahm ihr ein einziges Blatt. Auf dem Blatt standen die Worte: ‹Deutschland hat Rußland den Krieg erklärt.›

Er klingelte nach einem Diener, verlangte seinen Straßenanzug, zog seine Smokingjacke aus, alles ohne ein weiteres Wort. Dann verließ er das Zimmer mit raschen Schritten. Er war nicht niedergeschlagen; er war nicht begeistert; er war nicht überrascht. Am allerwenigsten zeigte er Furcht oder Betretenheit. Ebensowenig irgendein Zeichen von Freude. Er ging hinaus wie ein Mann, der an seine langgeübte Arbeit geht.»

Notizzettel, ausgetauscht zwischen
Lloyd George und Churchill
in der Kabinettsitzung vom 3. August 1914
Lloyd George: Was ist Ihre Politik?
Churchill: Im Moment würde ich so handeln, daß
Deutschland möglichst eindrucksvoll unsere Absicht
erfährt, die Neutralität Belgiens zu bewahren.

HÖHENFLUG UND ABSTURZ

John Morley, einer der weisen Alten der Liberalen Partei, hatte gelegentlich, als man die Zukunftsaussichten der beiden großen Nach-
wuchspolitiker abwog, gesagt, im Frieden setze er auf Lloyd George;
aber wenn es Krieg geben sollte, werde Churchill aus Lloyd George
Kleinholz machen. Im Grunde waren wohl alle dieser Meinung, einschließlich Churchills, vielleicht sogar einschließlich Lloyd Georges.
Churchill war sichtlich für den Krieg geboren. Lloyd George galt
beinah als Pazifist.

Es kam ganz anders. Lloyd George wurde «der Mann, der den
Krieg gewann». Auf Churchill waren ein paar Monate lang, 1914
und Anfang 1915, die Augen der Welt gerichtet. Aber sein kriege-

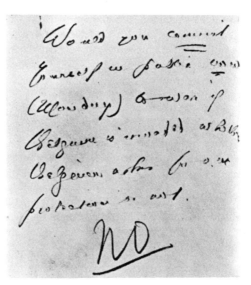

*Lloyd George: Würden Sie sich jetzt (Montag) öffent-
lich auf Krieg festlegen: wenn Belgien besetzt wird,
gleichgültig, ob Belgien uns um Schutz bittet oder nicht?
Churchill: Nein.*

rischer Höhenflug war kurz und endete mit einem jähen Absturz.
Im Mai 1915 war Churchill ein politisch ruinierter Mann.

Dabei hatte er zunächst die Hand voller Trümpfe. Churchill war
beim Ausbruch des Ersten Weltkriegs 39 Jahre alt und auf der Gipfelhöhe seines Selbstvertrauens und seiner physischen und geistigen
Kraft. Er stand, als Chef der britischen Admiralität, am Hebel eines
der beiden gewaltigsten Kriegsinstrumente der damaligen Welt (das
andere war die deutsche Armee). Er war einer der drei Männer, die
Englands Kriegführung im ersten Kriegsjahr bestimmten und lenk-
ten (die anderen beiden waren der Premierminister Asquith und der
Kriegsminister Kitchener). Und er war unter diesen dreien der einzige mit tiefer strategischer Einsicht, mit einer klaren Konzeption
und mit schöpferischen Ideen. Gerade das wurde sein Verderben –
nicht ohne sein Mitverschulden; denn es machte ihn blind für die
Schwächen seiner politischen Position.

Diese Schwächen lagen klar zutage. Er war nicht Premierminister

mit unbeschränkten Vollmachten, wie er es dann im Zweiten Weltkrieg wurde. Er war ein liberaler Minister in einem liberalen Kabinett, das im Parlament nicht mehr allzu sicher dastand. Bei den Konservativen war er verhaßt wie kein anderer; wenn eine Koalition
notwendig wurde – und damit mußte man im Kriege rechnen –,
würden sie ohne Zweifel den Skalp des Parteiverräters fordern. Bei
den Liberalen selbst war er ohne festen Halt, im Grunde immer noch
eine Art Hospitant. Der öffentlichen Meinung war er allmählich ein
wenig unheimlich geworden. Erst der Parteiwechsel, dann der über-
triebene Radikalismus, dann die neue Verwandlung, die mit ihm
vorgegangen war, seit er die Admiralität verwaltete und sich plötzlich nur noch für Schiffe, Rüstung und Krieg interessierte; man wußte nicht recht, woran man mit ihm war. Er hatte auch im Laufe der
Jahre allzu viele Schlagzeilen gemacht: als Innenminister bei Streik-
unruhen Londoner Polizei in Wales eingesetzt; gegen ein paar ver-
dächtige Anarchisten, die sich in einem Londoner Haus verbarri-
kadiert hatten, eine veritable Straßenschlacht inszeniert und persönlich geleitet; als Chef der Admiralität bei einer der ständig wie-
derkehrenden irischen Krisen Kriegsschiffe nach Irland geschickt und
damit eine Meuterei provoziert. Irgendwie lag es in ihm, immerfort
für Sensationen zu sorgen – ungewollt vielleicht; es war sein Schicksal, es war eine Art Eigenschaft von ihm; um so schlimmer. Das
erste Mal, im Burenkrieg, hatte diese Eigenschaft seinen Durchbruch bedeutet, aber seither hatte sie seinem Ruf geschadet. Etwas
Unsolides, Unseriöses haftete ihm an, bei aller auch wieder aner-
kannten Begabung und Brillanz.

Im Grunde genommen stand niemand hinter ihm. Mit Kitchener
verstand er sich nicht. Kitchener, der «Sirdar» des Sudanfeldzuges
von 1897 – der sich schon damals über den vordringlichen und vorlauten Leutnant Churchill weidlich geärgert hatte –, war ein Hin-
denburgtyp und wie Hindenburg der Mann des allgemeinen Ver-
trauens, dem man jeden Mißerfolg verzieh. Churchill dagegen galt
als unbewährt und unzuverlässig, er brauchte Erfolge, um sich zu
halten – auch bei dem letztlich entscheidenden Mann, dem Premierminister Asquith, der ihn immerhin zunächst gewähren ließ, mit
einer Art von skeptisch-amüsiertem Wohlwollen, nicht ohne Sinn
für seine Originalität und sein Talent, nicht ohne Hoffnungen, aber
auch mit der kühlen Bereitschaft, ihn jederzeit fallenzulassen.

Aus dieser Position heraus schickte sich Churchill an, den Weltkrieg zu dirigieren. Er gab sich keine Mühe, seine Position abzusichern oder zu verbessern, und er verstimmte seine engsten Kollegen und Mitarbeiter dadurch, daß er ihnen kaum zuhörte, sondern nur ständig auf sie einredete. Sie fanden, er benehme sich, als habe er alle Weisheit gepachtet; und sie hatten nicht so ganz unrecht damit. Genauso benahm er sich; aber komischer- oder tragischerweise hatte er damals tatsächlich alle Weisheit gepachtet. Er war der einzige Mann in England, der 1914 die Kriegslage in ihrer Gesamtheit übersah, und der einzige, der klare Ideen hatte, wie der Krieg zu gewinnen sei. Freilich, er war von diesen Ideen besessen. Er redete, als müßten sie jedem ebenso selbstverständlich sein wie ihm selbst, und er handelte, als läge es bei ihm allein, sie zu verwirklichen.

Bereits im Sommer 1911, während der Agadir-Krise, hatte er dem Kabinett ein Memorandum über *Probleme kontinentaler Kriegführung* vorgelegt, das die Ereignisse des August und September 1914 mit unheimlicher Einsicht vorwegnahm. Er unterstellte als sicher, daß die Deutschen durch Belgien marschieren und mit einer schwingenden Sichelbewegung nach Süden schwenken, also nach dem Schlieffenplan operieren würden – von dem er nichts wußte, den er also sozusagen unabhängig von Schlieffen noch einmal entwarf. Er sah richtig voraus, daß die deutschen Angriffsheere etwa am zwanzigsten Tag nach der Mobilmachung die Franzosen zum Rückzug von der Maaslinie zwingen würden, und ebenso richtig, daß sie etwa am vierzigsten Tag voll ausgestreckt und zum Gegenschlag reif sein würden, *wenn die französische Armee bis dahin nicht verzettelt worden ist*. Tatsächlich kulminierte die Marneschlacht genau am vierzigsten Tage nach der Mobilmachung – am 10. September 1914. Dies war der Tag des deutschen Rückzugs von der Marne.

Mit derselben visionären Klarheit sah Churchill nach dem Eintreffen seiner Voraussage, was nun plötzlich der strategisch entscheidende Punkt geworden war: Antwerpen.

Nach der Marneschlacht hingen nämlich beide feindlichen Massenheere nordöstlich von Paris mit einem Flügel in der Luft, die deutschen mit dem rechten, die alliierten mit dem linken. Offensichtlich mußte nun also das einsetzen, was man später «das Rennen nach dem Meere» genannt hat, also ein Wettrennen darum, die andere Seite in der einzigen noch offenen Richtung zu überflügeln. Wie aber, wenn eine Seite sich in die Lage versetzte, wie der Swingel im Märchen rufen zu können: «Ick bün all do»? Noch hielt sich im Norden, isoliert, die belgische Festung Antwerpen. Wenn man sie von England aus rechtzeitig verstärken und entsetzen konnte und wenn man in aller Eile alle englischen Reserven über den Kanal an die neue Antwerpen-Front warf, denn mußte es möglich sein, von der Basis Antwerpen aus den Deutschen den Zugang zur Kanalküste zu sperren, die Erstarrung der Fronten zu verhindern, ihren nach Norden strebenden rechten Flügel noch in der Bewegung in Flanke und Rücken zu fassen und aufzurollen.

Die Deutschen sahen das mit aller Deutlichkeit und konzentrierten nach der Marneschlacht alle ihre Reserven auf die schnelle Ausschaltung Antwerpens. In England sah es außer Churchill niemand, und Churchill hatte zwar die Einsicht, aber nicht die Befehlsgewalt.

Was er nun tat, war abenteuerlich und erwies sich als der erste Schritt zu seinem späteren Absturz. Er ließ sich selbst nach Antwerpen schicken, um nach dem Rechten zu sehen; übernahm dort, ohne rechte Legitimation, das Kommando, wobei er mit der bevorstehenden Ankunft großer englischer Verstärkungen bluffte; und schickte ein Telegramm an den Premierminister, worin er bat, ihn von seinem Amt als Chef der Admiralität zu entbinden, ihn als General zu reaktivieren (schließlich war er einmal Offizier gewesen) und ihm das Kommando über die Antwerpen-Front zu übertragen. Zugleich forderte er Truppen an und befahl selbst – noch in seiner Eigenschaft als Chef der Admiralität – zwei Marinebrigaden nach Antwerpen; sie waren alles, was er persönlich an Landtruppen zur Verfügung hatte, größtenteils noch Rekruten in der Ausbildung, von denen die meisten schließlich in Gefangenschaft gerieten. Kurz, er versuchte, mit extremem Einsatz der eigenen Person, seine Regierung in eine strategische Improvisation hineinzunötigen, deren Sinn zwar ihm, aber nicht ihr klar war. Natürlich mißlang das.

Churchills Antwerpen-Abenteuer war nicht ganz nutzlos. Er verlängerte den Widerstand der schon wankenden Festung um fünf Tage und gewann damit genau die Zeit, die die schwerfälligen alliierten Armeen brauchten, um den «Wettlauf nach dem Meere» wenigstens in einem toten Rennen mit den Deutschen zu beenden. Aber das war nicht Churchills Idee gewesen. Seinen Gedanken, Antwerpen durch eine rasche gewaltige Verstärkung zur Basis einer Gegenoffensive in den Rücken der nordwärtsstrebenden deutschen Heere zu machen, und den Krieg im Westen, ehe er zum Stellungskrieg erstarrte, noch mit einem Cannae zu gewinnen, hatte niemand begriffen; er hatte ihn freilich auch niemandem begreiflich zu machen gewußt. Was blieb, war ein allgemeines Kopfschütteln über sein exzentrisches Verhalten und ein bedenkliches Brauenhochziehen über die rücksichtslose Aufopferung seiner Marinerekruten. Vor der Öffentlichkeit, auch vor seinen Kollegen, stand er da als ein Mann, der bereit war, eines der höchsten Regierungsämter in einer plötzlichen Laune hinzuwerfen, um eines örtlichen militärischen Abenteuers willen, das dann auch noch fehlschlug! Er war jetzt angeschlagen.

Entmutigt war er noch nicht, und auch sein strategischer Klarblick hatte noch nicht gelitten. Nachdem die Westfront in den Schützengräben erstarrt war, sah er deutlich, daß es jetzt nur noch zwei Wege zum Siege gab: Entweder mußte man etwas erfinden, das *den Schützengraben schlug*, ein *Landschiff*, das die Gräben und ihre Feldbefestigungen *überrollen und alles, was darin war, begraben* konnte. Oder man mußte mit einer nunmehr gigantischen Flankenbewegung eine neue Front aufreißen, an einer Stelle, wo es noch keine Schützengräben und keine feste Verteidigung gab – im Südosten Europas, vom Balkan aus.

Im Winter 1914/15 machte sich Churchill daran, beide Wege zu beschreiten – wiederum auf eigene Faust. Es ist bemerkenswert, daß 1918 schließlich der alliierte Sieg auf genau diesen beiden Wegen erreicht wurde: Der Tank, das Endprodukt der Churchillschen *Landschiff*-Experimente, gab den bis dahin stets erfolglosen Offensiven an der Westfront endlich taktische Überlegenheit über die Verteidigung; und der Zusammenbruch der Türkei und Bulgariens, der das Aufreißen der offenen und unverteidigten deutschen Südostflanke einleitete, bewog Ludendorff am 29. September, das Handtuch in den Ring zu werfen. Aber diese späte Bestätigung seiner Ideen von 1914 half Churchill wenig. Seine *Landschiff*- oder «Tank»-Idee galt zunächst als eine phantastische Marotte, von der Armee schon deshalb spöttelnd abgelehnt, weil sie von der Admiralität kam; sie blieb jahrelang im Dickicht konservativ-bürokratischer Einwände stecken. Die Idee der Balkan-Front blieb nicht stecken: Churchill boxte sie gegen alle Widerstände und Bedenken durch, aber er brachte sie nur in verkrüppelter Form ans Ziel. Ihr Ergebnis war schließlich die unglückliche Dardanellen- oder Gallipoli-Kampagne, die Churchill den Hals brach.

Die Verteidigung der Dardanellen, 1915.
Im Hintergrund rechts, um die «Kanincheninsel» gruppiert,
die englisch-französische Flotte

Seine strategische Idee war großartig: Die Türkei, seit Oktober 1914 an Deutschlands Seite im Krieg, war relativ schwach. Ihre Hauptstadt, Konstantinopel, lag am Meer, offen für den Zugriff überlegener Seemacht. Wenn sie fiel, konnte man mit dem Zusammenbruch der Türkei rechnen. Dadurch war mindestens eine sichere Seeverbindung mit Rußland hergestellt, man konnte massive Waffentransporte nach Rußland schicken und seine schon angeschlagene

Offensivkraft wiederherstellen. Außerdem aber: Serbien stand noch, Bulgarien war noch kein Verbündeter Deutschlands, in Griechenland und Rumänien waren starke politische Kräfte bereit, mit den Alliierten zu gehen, wenn sie siegreich zur Stelle waren: Der Fall Konstantinopels würde ihnen das erwartete Signal geben. Der Balkan würde auflodern wie ein Waldbrand, von dort aus war Österreich zum Einsturz zu bringen, und dann drohte dem nun völlig isolierten Deutschland nicht mehr ein Zwei-, sondern ein Dreifrontenkrieg! Das war Strategie napoleonischen Stils und Formats; außerdem wie nach Maß gemacht für England mit seiner gewaltigen Seemacht und seiner kleinen, aber feinen Armee – weit passender, als langsam Massenarmeen aufzustellen und auszubilden, um sie dann durch die Knochenmühle statischer Materialschlachten an der Westfront zu drehen.

Nur: Die Durchführung einer solchen Idee erforderte – im Lichte der Erfahrung des Zweiten Weltkriegs ist das noch klarer zu sehen, als es damals war – amphibische Kriegführung, also engste Zusammenarbeit von Flotte und Armee. Die schien unerreichbar: Kitchener «glaubte nicht an die Dardanellen», er glaubte an die Möglichkeit des Durchbruchs an der Westfront. Churchills erster Fehler war, daß er zu schnell und zu stolz darauf verzichtete, Kitchener umzustimmen – was, wie sich später zeigte, nicht unmöglich gewesen wäre. Auf eine etwas halbherzige Weise erklärte sich Kitchener schließlich sogar von selbst bereit, «der Flotte herauszuhelfen», wenn sie es allein nicht schaffte. Aber inzwischen hatte sich Churchill schon ungeduldig entschlossen, es mit der Flotte allein zu machen, im Handstreich.

Das war vielleicht nicht unmöglich, aber ungeheuer kühn: die Art von Unternehmen, die nur gelingen kann, wenn alle Ausführenden mit Überzeugung und Feuereifer mitziehen und dabei ein wenig über sich hinauswachsen. Churchills zweiter Fehler war, daß er es ins Werk setzte, obwohl er alle seine Admirale nur eben mitschleppte. Sie ließen sich zögernd und widerstrebend überreden und fühlten sich klamm dabei. Churchill ging darüber hinweg; vielleicht bemerkte er es gar nicht. Die Folgen blieben nicht aus.

Am 18. März 1915 hatte die Flotte, nicht ohne erhebliche Verluste, die türkischen Forts in den Dardanellen in einem gewaltigen Artillerieduell so ziemlich niedergekämpft. Wenn sie den Handstreich auf Konstantinopel wagen wollte, mußte es jetzt oder nie geschehen. Aber den Admiralen war die Sache – vielleicht mit Recht – nun doch gar zu unheimlich geworden, und da Kitchener sich inzwischen dazu verstanden hatte, «der Flotte herauszuhelfen», setzten sie durch, daß nun doch lieber auf die Armee gewartet wurde. Die Armee brauchte viel Zeit. Am 25. April landete sie und errichtete einen Brückenkopf auf der Halbinsel Gallipoli; aber aus dem Brückenkopf kam sie nicht heraus. Der Überraschungsfaktor war verschenkt worden. Die Türken waren inzwischen in voller Stärke da und hielten stand. Mitte Mai war klar, daß Churchills großer kriegsentscheidender Plan nicht mehr erzielt hatte als eine neue Schützengrabenfront in der fernen Türkei.

Was nun? Churchill war für Durchhalten. Er zeigte jetzt zum erstenmal die bulldoggenhafte Verbissenheit, die bis dahin unter Abenteuerlust und improvisierendem Wagemut verborgen gewesen war. Er war bereit, den Einsatz zu verdoppeln, die modernsten und stärksten Schlachtschiffe in die Pfanne zu hauen, eine zweite Landung im Rücken der Türken zu machen. Er plädierte, vorgereckten Kinns, für eine Strategie des Nun gerade.

Aber da sagten die Admirale: Nein. Vor allem sagte es sein alter, harter, bewunderter Freund Lord Fisher, den er ein halbes Jahr zuvor, gegen manche Widerstände und Warnungen, in die Admiralität zurückgeholt hatte. Ein paar Monate lang war alles gut gegangen zwischen den beiden, auch Churchills Dardanellen-Pläne hatte Fisher zunächst gutgeheißen. Aber er war unter den ersten, die ein Haar in der Suppe gefunden hatten. Ein paarmal hatte er sich noch von Churchill – an dem auch er auf seine Art hing – wieder umstimmen lassen. Aber dann bereute er diese Schwäche und wurde in seinem Widerstand um so härter und bitterer. Die Dardanellen waren Churchills Kind, nicht seines. Die Flotte aber, deren beste Einheiten Churchill jetzt aufs Spiel setzen wollte, w a r sein Kind. Ob Churchills Dardanellen-Plan nun ursprünglich gut oder schlecht war, jetzt war daraus jedenfalls ein gründlich verpfuschtes Unternehmen geworden. Jetzt gab es nur eins: Schluß damit! Abschreiben! Raus aus der Falle! Die Flotte retten!

In diesen Maitagen 1915 spielte sich zwischen dem jungen Chef der Admiralität und seinem alten höchsten Admiral ein Drama ab, das, so merkwürdig es klingt, etwas von der überhitzten Atmosphäre Strindbergscher Ehedramen hatte. Der Junge und der Alte, beide zähe Kämpfernaturen, beide stolz, eigensinnig, egozentrisch, beide bis in den Grund ihrer Seele von sich und ihrer Sache überzeugt, hingen aneinander, bewunderten, ja liebten einander. Keiner wollte seine Macht über den anderen aufgeben, jeder wollte die enge Zusammenarbeit – die sie selbst ein paar Monate vorher scherzhaft «unsere glückliche Ehe» genannt hatten – weiterführen, das alte Vertrauen zurückzwingen: aber jeder zu seinen Bedingungen – die für den andern gänzlich unannehmbar, gänzlich unerträglich waren. Besonders Churchill warb um den Alten mit hartnäckig-unnachgiebigem Charme, glaubte jedesmal am Ende, ihn zurückgewonnen zu haben, und merkte nicht, daß gerade Fishers momentanes Weichwerden ihn hinterher um so bitterer machte, ja geradezu mit Gift und Rachsucht füllte. Am 15. Mai, einem Sonnabend, war das Maß voll. Fisher erklärte in fast beleidigender Form seinen Rücktritt – «Ich bin nicht in der Lage, weiter Ihr Kollege zu bleiben» –, verließ die Admiralität ohne Abschied, ließ sich nicht mehr sprechen – und teilte seinen Rücktritt sofort den konservativen Parteiführern mit. Er wußte, daß er damit eine Regierungskrise auslöste und Churchill zu Fall brachte. Churchill, charakteristischerweise, wußte es nicht. Er war so sehr mit Kriegführen beschäftigt, daß er nicht mehr darauf achtete, was inzwischen in der englischen Politik geschah – von der es doch ganz und gar abhing, ob er Krieg führen durfte oder nicht.

Die Stellung der liberalen Regierung Asquith hatte sich im Frühjahr 1915 reißend verschlechtert. Der Krieg an der Westfront hatte Enttäuschungen gebracht; das Dardanellen-Unternehmen kam offensichtlich nicht voran; die Presse hatte schwere Mißstände in der Munitionsversorgung aufgedeckt; und nun der dramatische Rücktritt des berühmten Fisher – das war der Tropfen, der das Faß zum Überlaufen brachte. Die Konservativen stellten ein Ultimatum: Koalition – oder ein Mißtrauensvotum im Parlament. Asquith – und auch Lloyd George – waren sich klar darüber, daß eine Parlamentsdebatte in diesem Augenblick für die Regierung katastrophal enden mußte. Also beschlossen sie die Koalition. Das aber hieß (unter anderm), daß Churchill geopfert werden mußte. Er war, das wußte jeder, für die Konservativen «untragbar».

Am Sonnabend war Fisher zurückgetreten. Den Sonntag verbrachte Churchill, immer noch arglos, damit, einen neuen Admiralstab zusammenzustellen. Aber als er am Montag mit der Liste seiner Neuernennungen zu Asquith kam, sagte dieser: «Zu spät.» Eine viel gründlichere Operation sei notwendig geworden, eine Regierungs-umbildung. «Was machen wir mit Ihnen?»

Churchill hat diesen 17. Mai 1915 nie vergessen. Es war ein Tag, an dem sein Gott, das Schicksal, Katz und Maus mit ihm spielte. Der Augenblick, in dem Asquith zu ihm sagte: «Was machen wir mit Ihnen?» brachte ihm die erste schreckhafte Warnung, daß er in Gefahr – und gleichzeitig auch schon die Blitzerkenntnis, daß er verloren war. Der Schock war furchtbar. Während er noch nach Fassung rang, klopfte es an der Tür: eine Botschaft aus der Admiralität. Er solle sofort ins Amt kommen. Die deutsche Flotte war ausgelaufen.

Den Abend und die Nacht dieses Tages verbrachte Churchill mit seinen Admiralen am Kartentisch, die englische Flotte dirigierend. Während die Morsesignale hereinkamen und hinausgingen, sah er sich abwechselnd als weggejagten Minister und als Triumphator in der größten Seeschlacht der Geschichte. Noch war alles offen; und er traute dem Schicksal.

Am nächsten Morgen war alles vorbei. Die deutsche Flotte hatte abgedreht, die große Seeschlacht war vertagt – auf ziemlich genau ein Jahr, wie sich herausstellen sollte. Churchill war gestürzt; sein Nachfolger in der Admiralität war Arthur Balfour – der frühere konservative Premierminister, dem Churchill vor elf Jahren den Rükken gekehrt hatte. Churchill fand sich als «Kanzler des Herzogtums Lancaster» wieder – einer unbedeutenden Sinekure; und auch die hatte Asquith den Konservativen nur abgehandelt, damit Churchill dem neugebildeten «Dardanellen-Ausschuß» von elf Mitgliedern angehören konnte, wo er nun sozusagen auf der Anklagebank saß. Befehlsgewalt hatte er nicht mehr; kaum Einfluß. Violet Asquith, seine treue und bewundernde Anhängerin, die ihn zu trösten suchte, fand einen gebrochenen Mann. Er hatte nicht einmal ein böses Wort für den bewunderten, ungetreuen Fisher, der ihn gefällt hatte. *Ich bin erledigt,* wiederholte er nur mehrmals. *Mit mir ist's aus.*

Der Sommer wurde furchtbar. Später schrieb Churchill, er habe sich damals gefühlt wie ein Tiefseefisch, der plötzlich an die Oberfläche geholt worden ist und dem der Kopf zu platzen droht. Er hatte sich an den Dauerdruck gewaltiger Spannungen, Entscheidungen und Verantwortungen gewöhnt; dieses Drucks plötzlich beraubt, merkte er, daß er verlernt hatte, ohne ihn zu leben. Die Mitglied-

General Sir John French

schaft im Dardanellen-Ausschuß machte es noch schlimmer: *Ich wuß-te alles; tun konnte ich nichts mehr.*

Churchill rettete sich in diesem Sommer, indem er zu malen an-fing; sein hübsches Maltalent, bis dahin von ihm selbst unentdeckt, wurde ein Lebenstrost, eine Art Droge oder Medizin, die er nie mehr aufgab. Aber inzwischen ging der Krieg weiter; sollte er ihn als Sonntagsmaler verbringen? Als seine seelischen Kräfte langsam zu-rückkehrten, formte sich in ihm ein neuer, phantastischer Plan.

Er war sich klar darüber: Als Politiker und Minister war er ge-scheitert. Solange die Koalition regierte – und damit mußte man nun wohl für die Dauer des Krieges rechnen –, war an ein Come-back nicht zu denken. Die Konservativen haßten ihn zu sehr. Aber

In Frankreich beim französischen 33. Armeekorps, 1915

war er nicht auch Offizier gewesen? Und konnte man im Krieg nicht gerade als Offizier an die Spitze kommen? Vielleicht war sein ganzer Fehler gewesen, als parlamentarischer Minister Napoleon spielen zu wollen; Napoleon war ein Offizier gewesen.

Gewiß, Churchill war vor 15 Jahren als schlichter Leutnant aus der Armee ausgeschieden. Aber inzwischen war er Chef der Admiralität gewesen, und im Kriege konnten viele Ränge übersprungen werden. Selbst Kitchener, der ihn nicht mochte, hatte in den Tagen von Antwerpen nichts dabei gefunden, ihn kurzerhand zum Generalmajor zu ernennen, wenn er es durchaus wollte. Daraus war dann nichts geworden, aber warum sollte, was damals möglich gewesen war, jetzt nicht mehr möglich sein? Der britische Oberbefehlshaber in Frankreich, French, war ein alter Freund. Eine Brigade würde er ihm mindestens anvertrauen: genug, sich mit irgendeiner brillanten Einzelaktion auszuzeichnen. Und dann eine Division, ein Korps, eine Armee – eines Tages, wer weiß, vielleicht der Oberbefehl.

Schon früher hatte er mit solchen Gedanken gespielt. Asquith hatte kurz nach Antwerpen notiert: «Hatte einen langen Besuch von Winston, der plötzlich sehr vertraulich wurde und mich beschwor, seine Zukunft nicht konventionell zu sehen. Er fühlt sich wie ein Tiger, der Blut geleckt hat, und er möchte, früher oder später, aber lieber früher, sein gegenwärtiges Amt für irgendein militärisches Kommando eintauschen. Ich sagte ihm, er sei in der Admiralität unentbehrlich, aber er findet, dort sei nichts Richtiges mehr zu tun; unsere Überlegenheit sei etabliert, alles laufe von selber. Aber wenn er Kitcheners neue Armeen sieht, läuft ihm das Wasser im Munde zusammen. Sollte man diese ‹glitzernden Kommandos› exhumierten alten Knackern anvertrauen, die nichts gelernt haben als den Drill von vor 25 Jahren, ‹Mittelmäßigkeiten, die in militärischer Friedensroutine verwest und verrottet sind›? usw. usw. Ungefähr eine Viertelstunde lang verströmte er einen wahren Katarakt von Invektiven und Beschwörungen, und es tat mir nur leid, daß kein Stenograph dabei war: Einige seiner improvisierten Formulierungen waren ganz unbezahlbar. Es war ihm aber dreiviertel ernst.»

Das war vor einem Jahr gewesen. Jetzt war es ihm g a n z ernst damit.

Im November, als die Liquidierung des Dardanellen-Unternehmens endgültig beschlossen war, verabschiedete er sich im Unterhaus mit einer großen und würdigen Geste: Er werde jetzt *einen anderen Dienst* antreten. Drei Tage später war er, als Major reaktiviert, auf dem Wege nach Frankreich.

Das wurde ein traurig verfehltes Unternehmen. French hatte ihm eine Brigade versprochen, aber French war selber in beginnender Ungnade und konnte nichts mehr durchsetzen. Das äußerste, was die Armee Churchill anzubieten bereit war, war der Posten eines Bataillonskommandeurs und der Rang eines Oberstleutnants. Er war also nun ein gewöhnliches Frontschwein und durfte, in seinem Schützengraben im morastigen Flandern, Entlausungskampagnen führen; andere Kampagnen lagen nicht in seiner Kompetenz. Übrigens war der Empfang bei dem strengkonservativen Garderegiment, dem er zunächst zugeteilt wurde, mehr als frostig. Man hatte dort für windige Politiker und Klassenverräter nichts übrig, und man ließ es ihn fühlen.

Churchill war kein schlechterer Frontoffizier als andere; an Mut hatte es ihm nie gefehlt, und Humor hatte er auch. Lebensgefahr schreckte ihn nicht; auch nicht das harte Leben in einem winterlich verschlammten Schützengraben. Nur die Verfehltheit und seltsame Überflüssigkeit des ganzen Unternehmens konnte ihm auf die Dauer nicht verborgen bleiben. Was sollte er eigentlich hier? Was richtete er aus, indem er sich in stumpfsinniger Grabenkriegroutine verbrauchen ließ wie tausend andere? Wenn er ehrlich mit sich war, mußte er zugeben, daß er dabei war, sein Pfund zu vergraben.

Dazu kamen spezielle Demütigungen, die ihm das Falsche, Deplacierte seiner Situation immer wieder unter die Nase rieben. Abgeordnete und Diplomaten auf Fronttour hörten von der gestürzten Größe, die da in einem britischen Schützengraben kostenlos zu besichtigen war, und kamen, sich das Wundertier anzusehen. Vielmehr, sie ließen ihn sich kommen. Einmal rettete ihm das das Leben: Er hatte seinen Unterstand gerade zu einem solchen befohlenen Rendezvous verlassen, als ein Volltreffer einschlug. (Ein Schicksalswink, wie schon so viele? War er doch noch aufgespart? Hatte ihn das Schicksal doch noch nicht vergessen?) Trotzdem, es war bitter, vor Leuten strammzustehen, mit denen er eben noch von gleich zu gleich, wenn nicht von oben herab verkehrt hatte. Bitter, und eigentlich ja vollkommen überflüssig.

Nach einem halben Jahr benutzte Churchill einen Urlaub, um wieder eine Parlamentsrede zu halten – in der er allgemeines Kopfschütteln damit erregte, daß er seinem Nachfolger in der Admiralität empfahl, Lord Fisher zurückzuholen. Noch ein paar Monate, und er nahm, wieder einmal, seinen Abschied von der Armee (der ihm nur ungnädig gewährt wurde, mit der Bedingung, sich während des Krieges nicht wieder um eine Offiziersstelle zu bewerben). Er kehrte nach London zurück und nahm seinen Sitz im Unterhaus wieder ein. Es war keine glorreiche Rückkehr.

Der Krieg ging weiter, und die Zeit verging. Die große Seeschlacht, auf die Churchill die englische Flotte drei Jahre lang mit Leib und Seele vorbereitet hatte, fand statt und endete mit einem Unentschieden. Churchill hatte nichts damit zu tun. Die Regierung Asquith stürzte. Lloyd George wurde Premierminister. Für Churchill war kein Platz in seiner Regierung: Der konservative Parteiführer Bonar Law sprach ein unbeugsames Veto. Es kam das Jahr 1917, die drohende englische Niederlage durch die U-Boote, der Kriegseintritt Amerikas, die russische Märzrevolution, die französischen Meutereien, die endlose Flandernschlacht. Bei alldem war der gestürzte Churchill ein Zuschauer. *Ich wußte alles. Tun konnte ich nichts.* Dabei blieb es. Er konnte zu seiner Beruhigung Landschaften malen, und hin und wieder konnte er eine Rede im Unterhaus halten. Er litt. Er wußte damals nicht, was wir heute wissen: daß dies nicht das Ende war. Vor dem Gescheiterten, Verstoßenen dehnte sich die Wüste endlos.

DER REAKTIONÄR

Daß Churchill aus dem Abgrund, in den er gestürzt war, noch einmal wieder herauskam, verdankte er seinem alten Freund und Rivalen Lloyd George.

Leicht war diese Rettungsaktion auch für Lloyd George nicht. Er spielte selber ein hohes und gefährliches Spiel, das knapp sechs Jahre später mit seinem eigenen, in diesem Fall endgültigen Absturz endete. Indem er Ende 1916 seinen alten Chef Asquith aus dem Amt drängte, hatte er die Liberale Partei, s e i n e Partei, gespalten und ihren größeren Teil in die Opposition gedrängt. In Asquiths Koalitionsregierung waren die Liberalen noch der Seniorpartner gewesen. Lloyd Georges Koalition war ein Viertel liberal, drei Viertel konservativ. Er selber war noch bis vor kurzem ein rotes Tuch für die Konservativen gewesen. Mit ihrer Hilfe fast sechs Jahre lang zu regieren, war ein schwindelerregendes Virtuosenstück. Den Konservativen dabei auch noch ihren damaligen Erzfeind, den Parteiverräter Churchill, zuzumuten, schien ein Ding der Unmöglichkeit. Gerade deswegen reizte es vielleicht den «walisischen Zauberer»; deswegen und auch, weil er in Churchill eine wirkliche persönliche Verstärkung sah – den einzigen Geistesverwandten, den einzigen andern englischen Politiker mit einem Funken vom höllischen Feuer. Churchill an seiner Seite, und zwar in einer Position unvermeidlich völliger Abhängigkeit, Churchills Einfallsreichtum und Energie zu seiner beliebigen Verfügung – das war für Lloyd George der Mühe wert.

Zunächst, bei der Regierungsbildung im Dezember 1916, erwies es sich noch als unmöglich. Der konservative Parteiführer Bonar Law, ein harter und hölzerner Mann, war weder zu überrumpeln noch zu überreden. «Gut, Sie mißtrauen ihm», sagte Lloyd George am Ende des Gesprächs, in dem Bonar Law bereits ein halbes dutzendmal «Nein» gesagt hatte. «Bleibt die Frage: Wollen Sie ihn lieber auf Ihrer Seite haben oder gegen sich?» – «Allemal gegen mich», antwortete Law. Lloyd George mußte zunächst auf Churchill verzichten.

Ein halbes Jahr später, im Juli 1917, holte er ihn dann doch, ohne irgend jemanden zu fragen. Er hatte sich jetzt unentbehrlich gemacht und glaubte es sich leisten zu können. Aber immer noch gab es einen Aufschrei, beinahe, ein paar Tage lang, eine Regierungskrise. In seinen Kriegserinnerungen schrieb Lloyd George später: «Einige von ihnen [den Konservativen] regten sich über die Ernennung Churchills mehr auf als über den ganzen Krieg. Es war interessant, in konzentrierter Form jede Phase des bebenden Mißtrauens zu beobachten, die das Genie beim Mittelmaß hervorruft. Leider liefert das Genie seinen Kritikern immer selbst die Munition – hat es immer getan und wird es immer tun. Churchill ist keine Ausnahme.»

Die folgende Passage gehört zum Scharfblickendsten, was je über Churchill gesagt worden ist. Es verrät auch eine Menge über den, der es sagt. Lloyd George wirft die Frage auf, warum Churchill so viele und so bittere Feinde hatte und keine wirklichen Anhänger, keine «Hausmacht». «Niemand bestritt sein blendendes Talent und seine persönliche Faszinationskraft. Mut, unermüdliche Arbeitskraft – alles zugegeben... Der Parteiwechsel allein erklärte nicht alles... Churchills Gegner fragten selber oft: Was war der Grund für das allgemeine Mißtrauen?

Hier ihre Erklärung: Sein Geist war eine mächtige Maschine, aber mit irgendeinem versteckten, obskuren Fehler irgendwo. Manchmal arbeitete die Maschine plötzlich falsch – sie konn-

Lloyd George

Andrew Bonar Law

ten selbst nicht sagen, woran es lag. Aber wenn es passierte, wenn der Mechanismus falsch lief, dann machte gerade seine Kraft die Folgen verheerend – nicht nur für ihn selbst, sondern auch für die Sache, und auch für seine Partner. Das machte sie nervös. Sie sagten: Er hat leider irgendwo einen Materialfehler; es ist tragisch – aber Grund genug, seine großen Fähigkeiten lieber ungenutzt zu lassen. In ihren Augen war er keine Verstärkung des allgemeinen Ideen- und Energiekapitals in der Stunde der Gefahr, sondern eine zusätzliche Extragefahr, vor der man sich hüten mußte.

Ich sah die Sache anders. Für mich waren sein Einfallsreichtum und seine unermüdliche Energie unbezahlbar – unter Aufsicht.»

Tatsächlich war Churchill in den ereignisreichen fünf Jahren von 1917 bis 1922, in denen er wieder eine bedeutende Rolle spielte, hohe Ämter innehatte und sich große Verdienste erwarb, nicht eigentlich er selbst, sondern so etwas wie Lloyd Georges Schatten. Er wurde sehr bald Lloyd Georges wertvollster und intimster Mitarbeiter – aber eben doch nur sein Mitarbeiter; die letzte Entscheidung lag immer bei Lloyd George.

Jahre später, als die Partnerschaft zerbrochen, Churchill wieder ein konservativer Minister und Lloyd George ein ohnmächtiger, isolierter Oppositionspolitiker war, gab es ein Versöhnungstreffen: Lloyd George besuchte Churchill im Schatzamt. Der Besuch dauerte lange. Als Lloyd George gegangen war, kam Churchills Privatsekretär (der später die Geschichte erzählt hat) mit der Unterschriftenmappe herein und fand Churchill in Sinnen versunken vor dem Kamin. *Komisch*, sagte er aufblickend. *Es hat keine Viertelstunde gedauert, und die alte Beziehung war wiederhergestellt.* Und dann, mit einem seltsamen Blick, der das gerührte Lächeln seines jungen Adlatus erstarren ließ: *Die Beziehung von Herr und Diener.*

Diese Jahre waren in mancher Hinsicht eine glänzende und höchst verdienstvolle Periode in Churchills Leben, aber zugleich die, in der Churchill am wenigsten er selbst war. Er war «unter Aufsicht», er diente einem andern – und zwar dem einzigen seiner Zeitgenossen, dessen Licht hell genug strahlte, um das seine zu verdunkeln. Er war bis zum Waffenstillstand Rüstungsminister, dann zwei Jahre Kriegs- und Luftfahrtminister, dann weitere knapp zwei Jahre Kolonialminister. In all diesen Ämtern bewährte er sich, wie er sich schon in früheren Ämtern bewährt hatte. Churchill war immer ein hervorragender Fachminister, ideenreich und tatkräftig (wenn auch ein wenig geneigt, seinen Kollegen in ihre Ressorts hineinzureden), und fast jede seiner Amtsperioden ist mit einem historisch bedeutsamen Verdienst verbunden. Als Rüstungsminister zum Beispiel konnte er sich die Massenproduktion von Tanks gutschreiben, als Kriegsminister eine rasche und völlige Umstellung der Demobilisierungspläne, mit denen er in buchstäblich letzter Minute eine drohende Massen-Meuterei verhinderte, als Kolonialminister die Befriedung des Mittleren Ostens und einen wichtigen Anteil an der Befriedung Irlands. Das alles war harte und wertvolle Arbeit, Könnerarbeit – aber irgendwie doch nur unpersönliches Handwerk. Während er im Dienste Lloyd Georges eifrig und energisch mithalf, die aus den Fugen gegangene Welt einzurenken und inzwischen irgendwie zu verwalten, sammelte sich, zuerst vielleicht von ihm selbst nicht bemerkt, Unruhe und Ressentiment in ihm an. Als Lloyd George im Oktober 1922 stürzte, stürzte Churchill zwar mit; aber innerlich hatte er sich schon von seinem Chef getrennt. Lloyd George kam nie wieder. Churchill war, zu jedermanns Erstaunen, bereits zwei Jahre später wieder Minister – konservativer Minister.

Man traut seinen Augen nicht. Der Parteiverräter, das rote Tuch für jeden guten Konservativen – und plötzlich, nach zwei kurzen Jahren, sieht man ihn wieder als führendes konservatives Parteimitglied, konservativen Abgeordneten, Minister, Schatzkanzler!

Es war eine unglaubliche Volte, die Churchill da schlug, darüber hinaus aber auch ein unglaubliches Kunststück, halsbrecherisch, eigentlich unmöglich – und auch dadurch nicht erleichtert, daß Churchill innerlich schon jahrelang, in der letzten Zeit, damit geliebäugelt hatte. Lloyd George hatte ihn einmal, in einem harten Gespräch, mit grober Deutlichkeit gewarnt: «Seien Sie vorsichtig, Winston! Eine Ratte kann zwar ein sinkendes Schiff verlassen; aber wieder einsteigen, wenn das Schiff dann doch nicht sinkt, das kann sie nicht.» Diese ganz besondere Ratte bewies jetzt, daß sie es doch konnte.

So leicht wie der erste war der zweite Parteiwechsel natürlich nicht. Churchill spazierte nicht einfach, nonchalant-herrenhaft wie damals, im Unterhaus von der einen Seite auf die andere. Zwei Jahre lang, von Ende 1922 bis Ende 1924, saß er überhaupt nicht im Unterhaus, und bei nicht weniger als drei Wahlen, die in dieser Zeit stattfanden, fiel er in drei verschiedenen Wahlkreisen durch.

Ein wenig half es ihm, daß das alte, straffe englische Zweiparteiensystem in diesen Jahren Auflösungserscheinungen zeigte. Es war seit 1918 eine neue Welt, auch in der englischen Innenpolitik. Die Liberalen waren gespalten und hoffnungslos geschwächt, links von ihnen wurde die Labour Party zur neuen Massenpartei; und auch den Konservativen drohte nach dem Bruch mit Lloyd George und dem Ende der Koalition eine Weile die Spaltung: Einige ihrer fähigsten Leute hatten sich an die Koalition gewöhnt und hätten sie gern fortgesetzt.

Churchill ging einen Schritt weiter, er propagierte die Bildung einer neuen «Zentrumspartei» aus den Lloyd George-Liberalen und den koalitionsfreundlichen Konservativen. Schwer zu sagen, ob es ihm ganz ernst damit war oder ob er nur die Konservativen erschrecken und ein wenig erpressen wollte. Jedenfalls fand ihr neuer Führer, Stanley Baldwin, schließlich doch, anders als sein Vorgänger Bonar Law, es sei das kleinere Übel, diesen dynamischen und gefährlichen, nicht totzukriegenden Mann auf seiner Seite zu haben als gegen sich. Er öffnete ihm wieder die Partei und gab ihm sogar, nach dem konservativen Wahlsieg vom Dezember 1924, sofort ein hohes, allerdings wenig passendes, Ministeramt. Worauf man von dem Projekt der Zentrumspartei nichts mehr hörte.

Daß die Konservativen unter solchen Umständen Churchill schließlich – ohne große Versöhnungsszenen, mit viel Reserve und fortdauernder stiller Feindseligkeit – wieder aufnahmen, kann man zur Not verstehen. Warum aber strebte Churchill so hartnäckig zu ihnen zurück?

Ein gewisser Opportunismus ist nicht zu übersehen und nicht zu beschönigen. Die Konservativen waren 1924 im Kommen, wie es

1904 die Liberalen gewesen waren. Und Churchill wollte, jetzt wie damals, unbedingt «dabei sein» – sein Tatendrang war ungestillt, und er hatte sein Leben lang einen Horror vor dem Gedanken, in machtloser, tatenloser Opposition zu verkümmern. Sein Macht- und Wirkungswille war allezeit von einer gewissen kindlich-unschuldigen Rücksichtslosigkeit, und er empfand es innerlich immer, wie ein Barockpolitiker, als sein gutes Recht, mit jedem Wind zu segeln, der gerade wehte; die Parteitreue und abstrakt-ideologische Prinzipienstrenge des bürgerlichen Parlamentariers waren ihm im Grunde immer fremd. *Wer sich verbessern will, muß sich wandeln, und wer vollkommen werden will, muß sich sehr oft wandeln,* antwortete er gelegentlich einem Kritiker, der ihm seine häufigen Standpunkt- und Standortwechsel vorwarf.

Das war ironisch, wenn man will, zynisch gemeint. Aber gerade diesmal war außerdem ein wirklicher Wandel in Churchill

Stanley Baldwin

vor sich gegangen, und weniger als sein erster war sein zweiter Parteiwechsel b l o ß e r Opportunismus (obwohl er a u c h Opportunismus war). Aus dem Radikalen von einst war unverkennbar ein Reaktionär geworden. Das Ereignis, das ihn umwarf und umstimmte, war die bolschewistische Revolution in Rußland gewesen.

War Churchill jemals ein wirklicher «Linker», ein wirklicher Radikaler? Lloyd George, der es war und mit dem Churchill eine Weile scheinbar in linkem Radikalismus gewetteifert hatte, hatte nie

Lenin bei einer Ansprache in Moskau, 1917

daran geglaubt. Für ihn war Churchill immer ein heimlicher Tory;
und wahrscheinlich trog ihn sein Scharfblick nicht. Churchills Radikalismus war die großmütige Jugendlaune eines großen Herrn. Er
wollte seine dummen und hochmütigen Standesgenossen ärgern, er
wollte auch wirklich, weichherzig und weitherzig, wie er sein konnte,
etwas für die Armen tun, die er gerade entdeckt hatte. Aber alles
das natürlich unter der selbstverständlichen Voraussetzung, daß er
ein großer Herr war und daß die Armen, für die er ritterlich kämpfte, eben die Armen waren. Wirklicher Klassenkampf, wirklicher Um-
sturz, soziale Revolution mit all ihren blutigen Schrecknissen, das
Unterste zuoberst gekehrt und die Mächtigen vom Hochsitz gestoßen – so hatten wir nicht gewettet. Als sich das alles in Rußland

wirklich ereignete, war Churchills Radikalismus wie weggeblasen, und er reagierte wie irgendein Barockfürst auf einen Bauernaufstand. «Sein herzogliches Blut», kommentierte Lloyd George ironisch, «empörte sich gegen die massenhafte Ausmerzung russischer Großherzöge.» Lloyd George selbst, der in seiner Jugend unter englischem Adelshochmut persönlich gelitten hatte, konnte solche «Ausmerzung» sehr viel ruhiger mitansehen.

Lloyd Georges Kriegsminister Churchill bot 1919, im russischen Bürgerkrieg, und dann noch einmal 1920, im Russisch-Polnischen Krieg, seinen ganzen Einfluß auf, die englische Intervention zum wirklichen Krieg gegen das bolschewistische Rußland, zum antibolschewistischen Kreuzzug zu steigern und *die Natter in der Wiege zu erwürgen*. Daraus wurde bekanntlich nichts. Sein Einfluß war nicht groß genug. Lloyd George war dagegen, und auch die ganze Stimmung des Landes war dagegen. Die Engländer hatten 1918, ebenso wie die Franzosen und Amerikaner, ein paar Truppen an den russischen Küsten gelandet und, etwas halbherzig, gegenrevolutionären russischen Generalen Hilfestellung gewährt. Aber ihre Intervention galt nicht so sehr der bolschewistischen Revolution als solcher (obwohl Lenin sie so auffaßte), sondern dem russischen Sonderfrieden mit Deutschland; sie wollten irgendwie eine Ostfront gegen Deutschland wiederherstellen, das war alles. Mit dem Ende des Krieges gegen Deutschland war ihr Interesse an der russischen Gegenrevolution erschöpft, und erst recht erschöpft war ihr Kriegswille. Dem langen, furchtbaren, nun endlich glücklich beendeten Krieg gegen Deutschland freiwillig einen neuen Krieg gegen Rußland anhängen, aus bloßer Abneigung gegen die russischen Bolschewiki – um Gottes willen! Auf diesen Gedanken konnte nur ein Mann kommen, der Krieg um des Krieges willen wollte, ein unersättlicher Krieger, ein Kriegsliebhaber. Alles, was Churchill mit seiner Interventionskampagne erreichte, war, sich endgültig den Ruf eines solchen Mannes zu erwerben.

Nicht ganz zu Unrecht; er war wirklich ein Mann des Krieges, seine Landsleute fühlten das ganz richtig heraus; hatten es, mit zwiespältigen Empfindungen, schon in den Jahren vor und nach 1914 herausgefühlt. Und doch trieb ihn gerade in diesem Fall nicht nur seine angeborene Freude an Krieg und Kriegskunst, sondern etwas Elementareres: wirkliche Furcht und wirklicher Haß, das Gefühl einer unergründlichen, schrecklichen, tödlichen Gefahr für sich und seine ganze Welt. Der antibolschewistische Komplex, der Churchill 1918 erfaßt hatte, ließ ihn jetzt auf Jahrzehnte nicht los.

Der Bolschewismus ist viel schlimmer als der deutsche Militarismus, erklärte er schon im April 1919, *und die Greuel Lenins und Trotzkis sind unvergleichlich scheußlicher und massiver als alles, wofür der Kaiser die Verantwortung trägt.* Dies zu einer Zeit, als das englische Publikum den Kaiser noch durchaus aufhängen wollte. Und ein Jahr später schrieb er dringlich und vorwurfsvoll an Lloyd George: *Seit dem Waffenstillstand wäre meine Politik gewesen: Frieden mit dem deutschen Volk, Krieg gegen die bolschewistische Tyrannei. Absichtlich oder unvermeidlich haben Sie so ziemlich genau den umgekehrten Kurs verfolgt. Ich kenne die Schwierigkeiten, ich kenne auch Ihr großes Geschick und Ihre große persönliche Kraft – beide so viel größer als meine eigenen –, und deswegen will ich Ihre Politik und Handlungsweise nicht verurteilen, als ob ich, oder irgend sonst jemand, es besser gemacht haben könnte. Aber die Resultate liegen vor uns. Sie sind schrecklich. Ein allgemeiner Zusammenbruch ist abzusehen, Anarchie in ganz Europa und Asien. Rußland ist ruiniert; was davon übrig ist, ist in der Macht dieser tödlichen Giftschlangen. Aber Deutschland ist vielleicht noch zu retten...*

Zwanzig Jahre später wurde Churchill berühmt durch seine ungeheuerliche Schimpfpotenz; die furchtbaren, schneidend züchtigenden Worte, die er Hitler und Mussolini wie mit einer Peitsche quer übers Gesicht schlug, gingen um die Welt. Aber sie waren nicht der erste Ausbruch solch wortgewaltiger Zorneslava; was Churchill in den Jahren um 1920 über die Bolschewisten zu sagen hatte, klang genauso. Bolschewismus war ein *wüstes Affentheater*, Lenin und Trotzki waren *dumpfschmierige Figuren, die nicht einmal durch das Ausmaß ihrer Verbrechen Interesse erregen konnten. Nicht einmal die Abschlachtung von Millionen und die Verelendung von aber Millionen wird künftige Generationen dazu bringen, sich an ihre profillosen Fratzen und ihre exotischen Namen zu erinnern.* Urhaß in artistische Form gegossen; wenn Worte töten könnten, wären diese tödlich gewesen. Tatsächlich verwehten sie im Wind. Ja, sie fielen auf den Sprecher selbst zurück. In englischen Ohren – selbst konservativen englischen Ohren – klangen sie ungesund, übertrieben, fieberhaft, ein bißchen hysterisch.

Dies um so mehr, als Churchill unverkennbar dazu neigte, seinen Bolschewistenhaß aus der Außen- in die Innenpolitik zu übertragen, einen Teil davon auf die gewaltig aufstrebende neue Labour Party abzuleiten. Sozialisten und Kommunisten, Kommunisten und Bolschewisten – er verwischte absichtlich die Unterschiede, es war alles eins, alles ein Teil derselben tödlichen Krankheit. Man beginnt zu verstehen, warum es Churchill unwiderstehlich zu den Konservativen zurückzog. Anfang 1924 war Labour zum erstenmal aus Wahlen als stärkste Partei hervorgegangen, und die Liberalen, als Zünglein an der Waage, ließen Labour eine Weile die Regierung bilden – laut Churchill *ein nationales Unglück, wie es große Staaten im allgemeinen nur nach einem verlorenen Krieg betroffen hat.* So etwas wenigstens würden die Konservativen niemals tun!

Es ist nicht zu übersehen, daß Churchills Reaktion auf den Sieg der bolschewistischen Revolution in Rußland und den Aufstieg sozialdemokratischer Arbeiterparteien in Westeuropa, der die Nachkriegswelt prägte, sehr weitgehend der Reaktion des kontinentaleuropäischen Bürgertums glich, das in diesen Jahren in einem Land nach dem andern den Faschismus und die faschistische Gegenrevolution hervorbrachte. Es wurde, zwanzig Jahre später, Churchills Schicksal und seine historische Rolle, diesen europäischen Faschismus in einem Kampf auf Leben und Tod zu vernichten. Aber wer das in den zwanziger Jahren vorausgesagt hätte, wäre mit Recht ausgelacht worden. Eher konnte man sich von dem damaligen Churchill vorstellen, daß er der größte internationale Führer des europäischen Faschismus werden und ihn zum blutigen Triumph führen würde. Er brachte mehr für die Rolle mit als der sozialistische Renegat Mussolini und der plebejische Snob Hitler. Es ist keine Übertreibung und keine ungerechte Unterstellung: Der Sache nach war der Churchill der zwanziger Jahre ein Faschist; nur seine Nationalität verhinderte, daß er es auch dem Namen nach wurde.

Die englischen Konservativen aber, von denen Churchill erwartet und erhofft hatte, daß sie, wenn auch mit den zivilisierten Methoden englischer parlamentarischer Politik, einen siegreichen Klassenkampf führen würden und der bedrohlich aufsteigenden Labour Party so sicher den Garaus machen würden wie die italienischen Faschisten ihren Sozialdemokraten, hatten ganz anderes im Sinn: Versöhnung, Anpassung, Befriedung. Sie hatten auf die sozialen Umwälzungen der Kriegs- und Nachkriegszeit genau umgekehrt reagiert wie das kontinentale Bürgertum: nicht mit Schock, sondern mit Besinnung. Sie waren entschlossen, mit den neuen Kräften ein faires Spiel zu

spielen und sie so zu zähmen. Sie wurden nicht Faschisten, sie wurden Appeaser – zuerst in der Innenpolitik.

Auf eine für Churchill unheimliche, ungreifbare Art taktierten sie an ihm vorbei, wichen sie dem Kampf, den er suchte, immer wieder aus. Ihr Ziel – nie offen proklamiert, aber ständig zäh und sachte angesteuert – war nicht die Vernichtung der neuen Labour Party, sondern ihre Anpassung und Einpassung ins englische System, ihre Assimilierung, der Ausgleich und Dauerkompromiß mit ihr, so daß am Ende einfach das alte Zweiparteiensystem wiederhergestellt sein würde, mit Labour in der Rolle der alten Liberalen. Man weiß, daß dieses Ziel triumphal erreicht wurde – ob unbedingt zum Besten Englands, ist eine andere Frage. Vielleicht laboriert England noch heute daran, daß es um eine notwendige Revolution betrogen wurde. Aber das war natürlich nicht, was Churchill gegen die konservative Politik einzuwenden hatte.

Churchill, der die Sozialisten als unassimilierbar betrachtete und praktisch den Bürgerkrieg als unvermeidlich akzeptierte, wie Bismarck 1890 in Deutschland, blieb so isoliert und erfolglos wie dieser und stand am Ende einigermaßen blamiert da. Man kann nicht sagen, daß er die Gründe seiner Niederlage verstand und ihre Lehren beherzigte. Er verbitterte und verhärtete sich zusehends; 1930 war er auch mit den Konservativen wieder zerfallen.

Der Führer der Konservativen in diesen Jahren war Stanley Baldwin – ein Mann, den Churchill niemals verstanden hat und von dem er ständig überspielt wurde. Er war eine neue Art von konservativem Führer: kein Aristokrat, vielmehr der Sohn eines Mittelstandsfabrikanten aus der Provinz, eines Mannes, der seine Arbeiter noch persönlich kannte und mit ihnen im Dialekt zu schwatzen pflegte. Stanley Baldwin glaubte nicht an Klassenkampf, er glaubte an Klassenfrieden. Für ihn waren die englischen Arbeiter keine gefährlichen Revolutionäre, sondern die Tom, Dick und Harry, mit denen sein Vater über einem Glas Bier im Dialekt scherzte. Er war ein Stockengländer, Pfeifenraucher, scheinbar unartikuliert, ein milder, weiser Mann von stiller Durchtriebenheit. Das erste, was er mit Churchill tat, nachdem er ihn zögernd wieder in die Partei aufgenommen hatte, war, daß er ihn zum Schatzkanzler machte. Das war

Schatzkanzler Churchill auf dem Weg ins Parlament

1926: Generalstreik in London

ein ungeheures Amt, das zweite nach dem Premierminister, zudem das Amt, das Winstons Vater in seiner kurzen Glanzzeit innegehabt hatte. Churchill konnte es unmöglich ausschlagen. Zugleich war es unter allen Regierungsämtern dasjenige, das zu Churchill am wenigsten paßte; von Wirtschaft und Finanz verstand Churchill nichts, jeder wußte das, auch er selbst. Er würde in der Hand seiner Beamten sein. Er war geschmeichelt, geehrt, überwältigt – und mattgesetzt. Genau das wollte Baldwin.

Churchill war fünf Jahre lang konservativer Schatzkanzler – von 1925 bis 1929, die längste Zeit, die er je in einem einzelnen Mini-

steramt verbracht hat. Selbst seine glorreiche Zeit in der Admiralität hatte nur dreieinhalb Jahre gedauert. Seine Schatzkanzlerzeit war nicht glorreich. Er verbrauchte sich darin und verwitterte. Das Ressort interessierte ihn nicht. Er ließ seine Beamten arbeiten und frönte seiner alten Untugend, in die Ressorts seiner Kollegen hineinzureden. Im übrigen war er in dieser Zeit mehr Schriftsteller als Minister. Die fünf Bände der *Weltkrise*, begonnen in der Zeit seiner politischen Kaltstellung, wurden in diesen fünf Jahren beendet. Es ist Churchills egozentrische Version des Ersten Weltkriegs, vielleicht sein faszinierendstes Werk, ein unglaublich gewagtes, aber vollkommen gelungenes Amalgam von Autobiographie und Geschichte, persönlicher Apologie und strategischer Kritik. Der alte Arthur Balfour nannte es bissig «Winstons Autobiographie, verkleidet als Geschichte des Universums» – aber auch ihm war es unmöglich, von Winston Churchill nicht gefesselt zu sein.

Zwei bedeutende Ereignisse fielen in Churchills Amtszeit als Schatzkanzler, beide auf eine damals wenigen klare Art kausal miteinander verbunden: Englands Rückkehr zum Goldstandard und, ein Jahr später, der Generalstreik vom Mai 1926. Die Rückkehr zum Goldstandard war im Effekt eine Pfundaufwertung, und ihre katastrophalen Folgen für den englischen Export führten die Lohnsenkungen und Massenentlassungen herbei, die dann den Generalstreik verursachten. Diese Pfundaufwertung fiel in Churchills unmittelbares Ressort, und der große John Maynard Keynes, damals noch ein junger akademischer Außenseiter und fast der einzige, der etwas daran auszusetzen fand, sprach von den «ökonomischen Konsequenzen Mr. Churchills». Aber das war ungerecht. Die Rückkehr zum Goldstandard war ein Kabinettsbeschluß, alle Minister, Beamten und Experten (bis auf Keynes) waren einstimmig dafür, jeder konservative Schatzkanzler hätte sie durchgeführt, und Churchill, der nichts davon verstand, war eben einfach der Zufallsschatzkanzler des Tages. Es war nicht seine persönliche Idee, und er dachte sich nichts Besonderes dabei.

Eher schon bei dem Generalstreik, der ein Jahr später folgte: Der schien ihm, ein paar Tage lang, der Beginn des großen Endkampfs mit dem sozialistischen Drachen, und alle seine Kampfinstinkte wurden wach. Aber Baldwin wußte sie harmlos abzulenken. Er beauftragte Churchill mit der Herausgabe einer improvisierten Regierungszeitung — alle Zeitungen waren ja durch den Generalstreik stillgelegt — und hielt ihn damit die ganze Zeit über voll beschäftigt, während er selbst behutsam mit den Streikern verhandelte und nach zehn Tagen den Streik beilegte. Später sagte er schmunzelnd, diese Art der Kaltstellung Winstons sei das Klügste gewesen, was ihm in seinem ganzen Leben eingefallen sei. Churchills «British Gazette» war übrigens ein organisatorisches und journalistisches Bravourstück ersten Ranges — mit Amateurkräften produziert, steigerte sie ihre Auflage binnen zehn Tagen von Null auf zwei Millionen — und zugleich ein wüstes Schand-, Schimpf- und Scharfmacherblatt, das Churchills persönliche Reputation nicht nur bei den britischen Arbeitern, sondern auch beim maßvollen und friedliebenden bürgerlichen Publikum auf den Nullpunkt herunterbrachte. Auch das kam Baldwin kaum ganz ungelegen.

Es gibt eine englische Redensart: «Wirf ihm einen Strick zu, dann wird er sich schon daran aufhängen.» Es war Baldwins Geheimformel. Er bekämpfte seine Gegner nicht: Er warf ihnen einen Strick zu und sah still und mitleidig zu, wie sie sich selber daran aufhängten. Er brachte Churchill zum politischen Ruin, nicht indem er ihn aussperrte, sondern indem er ihm ein hohes, allerdings unpassendes Amt gab (und ihn übrigens jederzeit mit ausgesuchter Höflichkeit und Freundlichkeit behandelte). Er tat dasselbe mit der englischen Labour Party und erlebte seinen höchsten Triumph, als er 1931 zusammen mit ihren Führern eine große Koalition bildete. Er tat dasselbe mit dem Indien Gandhis, das damals mächtig aufbegehrend seine Unabhängigkeit verlangte: Er widersprach nicht und verweigerte nichts, er zeigte Verständnis und Entgegenkommen, verhandelte, gewährte einiges, versprach mehr, beschwichtigte, befriedete, entwaffnete, und verwandelte Rebellen, ganz unter der Hand und ohne daß sie es selbst so recht merkten, in Juniorpartner. Das dritte Mal wandte er dieselbe Taktik gegen Hitlerdeutschland an. Da allerdings versagte sie – und da behielt Churchill endlich gegen ihn recht.

Denn Churchill, selbst, ohne es recht zu merken, ein Opfer dieser Politik, haderte die ganze Zeit mit ihr. «Appeasement», ganz gleich auf wen angewandt, ging ihm gegen die Natur, sein Temperament bäumte sich dagegen auf; es ekelte ihn an. Gegen die innere Befriedung, die Zähmung der englischen Arbeiterbewegung, die Baldwins Meisterstück war und von der Churchill selbst später aufs dramatischste profitierte, murrte er die ganze Zeit – und machte sich selbst zunehmend unmöglich damit. Bei der Befriedung Indiens streikte er. Er fand es empörend, daß der Vizekönig Gandhi empfing – *einen aufsässigen Advokaten, der, als Fakir aufgemacht, halbnackt die Stufen des Palasts emporschritt.* Anfang 1930 trat er wegen der Nachgiebigkeit gegenüber Indien aus dem konservativen Schattenkabinett aus (die Konservativen absolvierten gerade ein kurzes Zwischenspiel in der Opposition), und jahrelang hielt er beißende Reden gegen ihre Politik des schwächlichen Nachgebens, der Selbsterniedrigung und des Ausverkaufs. Er machte sich nach und nach lächerlich damit; der fünfundfünfzigjährige Churchill war in den Augen seiner Landsleute, auch seiner konservativen Landsleute, nur noch ein romantischer Reaktionär, der die Zeit nicht mehr verstand. Es war schade um ihn. Soviel Begabung, soviel Energie und Ehrgeiz – alles vertan und verpufft. Immer noch eine Sehenswürdigkeit, bestaunenswert, faszinierend in seiner Art – aber gebrauchen konnte man ihn offensichtlich nicht mehr. Als die Konservativen 1931, nach kurzer Pause, wieder in die Regierung gingen, boten sie Churchill kein Amt mehr an. Er blieb konservativer Abgeordneter. Mochte er Reden halten. Mochte er Bücher schreiben. Als ernst zu nehmender Politiker war er erledigt.

Mit der Tochter Sarah beim Mauern, 1928

EINER GEGEN ALLE

Tatenlosigkeit war Winston Churchills persönliche Hölle. Selbst als Minister war er nie, oder fast nie, voll ausgefüllt gewesen von seiner Arbeit und seiner Verantwortung, immer ein wenig rastlos, unbefriedigt und undiszipliniert, immer geneigt, über seine Ufer zu treten, in alles hineinzureden und hineinzuregieren.

Immerhin, eine Ministerexistenz war gerade noch erträglich. Gänzliches Beiseitestehen, Ausgesperrtsein, Zuschauenmüssen ohne eingreifen zu können, war unerträglich. Ein paarmal in seinem Leben hatte er dies Unerträgliche schon kosten müssen: schreckliche zwölf Monate lang von Mitte 1916 bis Mitte 1917, schlimme zwei Jahre lang vom Herbst 1922 bis zum Herbst 1924. Jetzt hatte er zehn Jahre lang in dieser Wüste und Churchillhölle zu leben, von 1929 bis 1939, von seinem fünfundfünfzigsten bis zu seinem fünfundsechzigsten Jahr – also bis zu einem durchaus normalen Sterbealter.

Äußerlich war seine Existenz in diesen zehn Jahren vollkommen angenehm; den meisten Menschen wäre sie beneidenswert erschienen. Er lebte auf seinem Landsitz Chartwell in Kent, den er von den Erträgnissen der *Weltkrise* erworben hatte und an dem er ständig herumbaute und -gärtnerte, teilweise buchstäblich mit eigenen Händen: er lernte das Maurerhandwerk, errichtete, einen alten Filzhut auf dem Kopf, im Schweiße seines Angesichts Ziegel für Ziegel mehrere Wälle und Nebengebäude, bestand auch darauf, in die Bauarbeitergewerkschaft aufgenommen zu werden, was die Gewerkschaftler als ziemlich schlechten Witz empfanden. Er pflanzte Bäume, legte Zierteiche an, fütterte Goldfische, züchtete exotische Schmetterlingssorten, reiste, malte. Seine Kinder, ein Sohn und drei Töchter, waren heranwachsende junge Leute in diesen Jahren, und er fand Zeit, ihnen ein interessierter, weitherziger und gewissenhafter, allerdings auch etwas überwältigender Vater zu sein. *In diesen Ferien haben wir mehr miteinander gesprochen*, bemerkte er gelegentlich zu seinem Sohn Randolph, *als mein Vater mit mir in seinem ganzen Leben gesprochen hat.* Er empfing viel Besuch, politisierte mit Freunden und Fremden bis tief in die Nächte hinein, redete mehr, als er zuhörte, trank manchmal mehr, als ihm guttat, und rauchte unzählige überschwere Havanna-Zigarren.

Im übrigen war er zwar tatenlos, aber alles andere als untätig. Er führte eine höchst produktive und erfolgreiche Journalisten- und Schriftstellerexistenz. Er wurde in diesen Jahren, was man heute einen Kolumnisten nennt: Er schrieb einen wöchentlichen laufenden Kommentar zur Weltpolitik, der in England und in vielen anderen englischsprechenden Ländern gedruckt und hoch bezahlt wurde, und das mit Recht – was Churchill lieferte, war erstklassiger Journalismus, gut informiert, scharf durchdacht, kräftig zugepackt, glänzend formuliert und kein Blatt vor den Mund genommen. Das war aber, obwohl Haupteinkommensquelle, nur Nebenwerk; seine Hauptarbeit galt großen literarischen Vorhaben. Sechs Jahre gingen in einer vierbändigen Biographie seines Ahnherrn Marlborough auf, die sich zu einem kolossalen Zeitgemälde des Hochbarock auswuchs; sie ist, nach der *Weltkrise*, der zweite Gipfel seines literarischen Schaffens, ein Werk von altmodisch ausladender Überfülle, in seiner vergegenwärtigenden, nah vors Auge rückenden Beschwörungs- und Wiederbelebungsmacht der gleichzeitig entstandenen Josephs-Tetralogie Thomas Manns vergleichbar. Und als er damit fertig war, ging er an eine ebenfalls vierbändige *Geschichte der englischsprechenden Völker*, die allerdings, bei aller leuchtenden Farbigkeit und Unterhaltungskraft, seine Grenzen als Historiker deutlicher aufzeigt.

Für jeden andern Menschen wäre das alles genug und mehr als genug an Arbeit, Spiel und Lebensinhalt gewesen. Für Churchill reichte es nicht einmal als Betäubung aus. Dabei war er ja – fast hätten wir die Hauptsache vergessen – die ganze Zeit auch noch ein durchaus aktiver Politiker, nur eben ein kaltgestellter, erfolgloser Politiker. Er war die ganzen zehn Jahre lang Unterhausabgeordneter, und zwar ein fleißiger Unterhausabgeordneter; er hielt Parlamentsreden – viele, und einige seiner größten darunter –, er saß in Ausschüssen, er legte großen Wert darauf, Verbindungen im Außenamt und in den Wehrministerien im Gange zu halten und Geheimnisträger zu bleiben, er interpellierte, agitierte und konspirierte: nur eben alles ohne meßbare Wirkung und ohne sichtbaren Erfolg. Er war ein hoffnungsloser Außenseiter geworden, ein individueller Opponent, von der öffentlichen Meinung abgeschrieben, mit allen drei Parteien zerfallen, ein großer Mann von gestern, dem man zwar höflich und duldsam, auch allenfalls mit einer gewissen ästhetischen Bewunderung, zuhörte, über den man aber zur Tagesordnung überging.

Was immer Churchill unternahm, die Weltgeschichte – und die Politik Englands – ging in diesen zehn Jahren ihren Gang, als ob es Churchill überhaupt nicht gegeben hätte. Nichts, was er schrieb oder sprach, änderte das Geringste. Und es ist schwer zu sagen, was ihn in tiefere Verzweiflung stürzte: der Weg, den die Weltgeschichte – und die Politik Englands – nahm und der seiner Meinung nach ins Unglück und in die Schande führte – oder eben dies, daß er nicht das Geringste daran ändern konnte.

Das Unglück kommen sehen, war schlimm genug; aber es nicht abwenden dürfen, tatenlos bleiben müssen, war doch wohl das Schlimmste. Ja, vielleicht wäre die erzwungene Tatenlosigkeit sogar noch schlimmer gewesen ohne die klare Vision kommender Kata-

An diesem Schreibtisch entstand
die «Geschichte der englischsprechenden Völker»

strophen – die doch zugleich einen Funken heimlichster Hoffnung
enthielt, daß man noch einmal werde sehen müssen, wie recht er
gehabt, und daß man ihn noch einmal brauchen werde.

Tatsächlich sammelte ja Churchill in diesen zehn Wüstenjahren,
ihm selbst und allen anderen unbewußt, das politische Kapital an,
das ihn dann, 1940, als Kriegspremier, eine Weile in England fast
allmächtig, unangreifbar und unverwundbar machte. Nicht seine
glänzende Jugend – die 1940 ziemlich vergessen war; nicht seine
Rolle im Ersten Weltkrieg – die immer umstritten blieb; nicht seine Politik im ersten Nachkriegsjahrzehnt, die selbst seinen wenigen
Freunden und Bewunderern eher eine Peinlichkeit bedeutete: ausschließlich die unbeirrbare Klarsicht und Standhaftigkeit des einsamen
Warners und Rufers in der Wüste der dreißiger Jahre gab ihm dann
1940 plötzlich den Ruf des Mannes, der als einziger immer Recht gehabt hatte und als einziger vielleicht noch Rettung bringen konnte.

Churchill – auch und gerade der Churchill der frühen dreißiger Jahre – war durchaus kein Antifaschist, eher das Gegenteil. Er war auch, obwohl er bis zum heutigen Tag in weiten Kreisen Deutschlands dafür gilt, nie ein Deutschenfeind. Er liebte Deutschland nicht, wie er Frankreich und Amerika liebte, aber er achtete es, bewunderte es sogar in gewisser Weise, und war nach dem ersten wie wiederum nach dem zweiten Weltkrieg ganz und gar dafür, Deutschland als Partner und Verbündeten in die westliche Kombination hineinzunehmen. Er hatte zunächst nicht einmal etwas Besonderes gegen Hitler – außer daß er seinen Antisemitismus kopfschüttelnd mißbilligte. Erst im Laufe der Zeit entwickelte er einen echten Ekel vor der Grausamkeit und der eigentümlichen Strizzihaftigkeit des unheimlichen Mannes. In den frühen dreißiger Jahren war davon noch keine Rede. Er äußerte damals sogar gelegentlich, er hoffe, wenn England je einen großen Krieg verlieren sollte wie Deutschland den Ersten Weltkrieg, werde auch ihm ein Hitler erstehen; und er war 1932 ganz bereit, Hitler gesellschaftlich zu treffen, als er auf den Spuren von Marlboroughs Marsch zur Donau nach München kam.

Nein, daß Churchill von 1932 an, und dann immer stärker in den Jahren 1934, 1935 und 1936, der große Vorkämpfer englischer Aufrüstung – und in diesem Zusammenhang notwendigerweise der große Warner vor der deutschen Aufrüstung – wurde, hatte zunächst, überwiegend wenigstens, ganz andere, durchaus nicht ehrenrührige, aber doch viel weltlichere, politisch-taktische Gründe. Churchill rutschte in seine Nazigegnerschaft sozusagen hinein – genaugenommen nur, weil er von Temperament her ein Gegner jeder Appeasementpolitik war und weil jetzt zufällig die Nazis – nach der Labour Party und den Indern – das Objekt englischer Appeasementpolitik wurden. Möglich, daß Churchills kurzer persönlicher Kontakt mit der Nazibewegung im München von 1932 etwas Tieferes in ihm aufgeweckt und aufgeschreckt hatte; selber ein Krieger von Geblüt und Instinkt, erkannte er wohl das Kriegerische, roch es sozusagen, wo es ihm begegnete. Aber unmittelbar wichtiger war, daß Churchill damals dringend eine Sache und Sachfrage brauchte, die die Konservative Partei wieder mit ihm in Einklang bringen konnte und ihm Aussicht auf Rückkehr zu Macht und Amt eröffnete. Und die Rüstungsfrage versprach eine solche Sache zu werden.

Die meisten Konservativen waren keine Abrüster von Instinkt. Pazifismus oder Völkerbundsideologie waren mehr eine Sache der

Adolf Hitler vor dem Deutschen Reichstag, 7. März 1936

Linken; die Masse der Konservativen war im Herzen immer mehr
dafür, sich so stark wie möglich zu machen und sich auf die eigene
Kraft zu verlassen, und ein robuster Appell an diese Gesinnung
versprach bei ihnen auf fruchtbaren Boden zu fallen. Tatsächlich
gewann Churchill in den Jahren 1934 und 1935 mit diesem Appell
eine Weile wieder ein wenig an Einfluß; als die konservative Regierung sich im Frühjahr 1936 – Hitler hatte schon die allgemeine
Wehrpflicht eingeführt und das Rheinland besetzt – zu einer, immer noch vorsichtigen, Aufrüstungspolitik entschloß und das neue

97

Der Duke of Windsor und Mrs. Simpson

Amt eines Koordinationsministers für die Verteidigung schuf, schien Churchill der gegebene, fast unvermeidliche Mann dafür. Aber Baldwin überging ihn. Er wollte die Aufrüstung nicht übertreiben. Er wollte wohl auch einfach kein Kuckucksei im Kabinett haben.

Für Churchill war es ein schwerer Schlag. Wahrscheinlich kam ihm erst damals der Verdacht, oder die Einsicht, daß er es endgültig mit den Konservativen verschüttet hatte, daß es keinen Weg zurück mehr gab, daß man ihn einfach nicht mehr wollte. Und er war mittlerweile über sechzig.

Dasselbe Jahr 1936 brachte dann noch eine schreckliche Bestätigung dieses Verdachts (oder dieser Einsicht), eine Episode von äußerster Peinlichkeit, die blitzartig zeigte, wie vollkommen sein Kontakt mit der politischen Welt des damaligen England schon abgerissen war. Es passierte ihm etwas, was weder ihm noch irgend jemand anderem seit Menschengedenken passiert war: Er wurde im Parlament niedergezischt und niedergeschrien.

Dies geschah im Zusammenhang mit der Abdankung König Eduards VIII., die Churchill zu verhindern oder wenigstens zu verschieben suchte. Die Episode ist merkwürdig und nicht uncharakteristisch. Man kennt die berühmte Geschichte von der leidenschaftlichen Verbindung Eduards mit einer zweimal geschiedenen, verheirateten Amerikanerin – und man erinnert sich des grausamen Ultimatums, das Baldwin im Spätherbst 1936 dem neuen jungen König stellte: entweder der einzigen Frau, die er je hatte lieben können – oder der Krone zu entsagen.

Man kann über die altmodische, schon etwas hypokritische Sittenstrenge des damaligen offiziellen England natürlich denken, wie man will. Wenn man sie aber einmal als gegeben hinnimmt und zugibt, daß für das England von 1936 eine mehrfach geschiedene Frau, deren Beziehung mit dem König begonnen hatte, während sie noch mit einem andern Mann verheiratet war, als Königin nun einmal unannehmbar war, dann wird man auch zugeben müssen, daß Baldwin das einzig Mögliche tat, als er eine schnelle Entscheidung erzwang. Was konnte Churchill sich davon versprechen, daß er für Schonung und Aufschub plädierte – mit dem Hinweis, daß ja noch mindestens ein halbes Jahr vergehen würde, bis die Scheidung der damaligen Mrs. Simpson rechtskräftig werden konnte? Was sollte sich in diesem halben Jahr ändern? Die Moralauffassungen der maßgebenden englischen Kreise? Das glaubte Churchill wohl selber nicht. Die Gefühle des Königs? Das wäre vielleicht möglich gewesen, wenn es sich um die vorübergehende Liebeslaune einer breitströmend-sinnlichen Natur gehandelt hätte; aber Churchill wußte recht gut, daß es um ganz anderes, Tieferes und Heikleres ging, um so etwas wie Erlösung, und daß der König die eine Frau, die ihm wie durch ein Wunder den Zugang zum weiblichen Geschlecht geöffnet hatte, nie aufgeben würde. Was war also durch Aufschub zu gewinnen? Nur Peinlichkeit, nur verlängerte Folter, nur ein unerträgliches monatelanges öffentliches Wühlen in Privatestem, nur, schließlich, eine ernsthafte Unterminierung und Gefährdung der Monarchie. Kein Zweifel, Baldwin hatte recht und Churchill hatte unrecht.

Kein Zweifel auch, daß Baldwin kalt und herzlos handelte und Churchill warmherzig, generös und ritterlich. Er empfand immer nobel in Herzensdingen, und er hegte überdies für seinen jungen, schwergeprüften König so etwas wie feudale Mannentreue. Aber genau dies nahm ihm die englische Öffentlichkeit einfach nicht ab. Sie glaubte, ihren Churchill zu kennen, und zwar als einen Mann von dämonischem, skrupellosem Ehrgeiz und Tatendrang, der jetzt, in der Verzweiflung seines Ausgesperrtseins, vor schlechterdings nichts mehr zurückschreckte; und zugleich als einen hoffnungslos Gestrigen und Vorgestrigen, einen archaischen Kriegsmann, dem zuzutrauen war, daß er nicht nur den Weltkrieg, sondern sogar den englischen Bürgerkrieg des 17. Jahrhunderts neubeleben würde, wenn man ihn ließe. König gegen Parlament, und Churchill als Führer einer «Königspartei» – solche Erinnerungen und Befürchtungen wurden ganz ernsthaft wach, als Churchill sich, einer gegen alle, in die Abdankungskrise einmischte. D e s w e g e n schrie man ihn nieder und gab sogar die parlamentarische Würde einen Augenblick preis. Er war – nicht nur ihm selbst, auch seiner Umwelt wurde es vielleicht erst in diesem Augenblick völlig klar – ein völliger Fremdkörper in dem England von 1936 geworden.

So lagen die Dinge, und so heillos hatte sich das Verhältnis zwischen Churchill und dem politischen England bereits zugespitzt, als 1937, unter dem unablässigen, verzweifelt warnenden und prophetisch drohenden Protest Churchills, die englische Regierung gegenüber Deutschland die Politik der offenen Annäherung einleitete, die den Frieden bringen sollte und die den Krieg brachte.

Die Regierung wechselte im Mai 1937. Baldwin zog sich, nach fünfzehn Jahren, in denen er die englische Politik souverän beherrscht hatte, würdig und freiwillig, hochgeehrt und umschmeichelt, aufs Altenteil zurück, und Neville Chamberlain wurde sein Nachfolger. Es bedeutete keinen Wechsel der Politik, aber einen völligen Stilwechsel. Baldwin war ein dicklicher, massig-weicher Mann gewesen, Chamberlain war hager, fast dürr, knochig, und zwar feinknochig, hart und zart. Und der politische Stil der beiden Männer entsprach genau ihrer körperlichen Erscheinung. Beide waren Friedensmacher, beide tief durchdrungen von der Überzeugung, daß klug dosierte Nachgiebigkeit eine unwiderstehliche politische Waffe sein kann, bezwingender und entwaffnender als harter Widerstand. Aber während Baldwin es liebte, die Dinge so lange wie möglich im Vagen und Unbestimmten zu lassen, war Chamberlain auf seine Art ein Mann der Tat, ein Aufräumer und Ordnungsmacher: präzis, vorausplanend, konsequent kalkulierend, scharf entschlossen, lieber zu früh als zu spät zu handeln.

Baldwin hatte die volle Konfrontation mit Hitler eher gemieden als gesucht. Chamberlain suchte sie fast sofort. Schon im Herbst 1937 schickte er seinen späteren Außenminister Lord Halifax – denselben Mann, der als indischer Vizekönig Gandhi befriedet hatte – nach Deutschland, um Klarheit über Hitlers Ziele zu gewinnen. Schon damals war er innerlich entschlossen, Hitler alles zuzugestehen, was nur irgend möglich war, auch wenn es vielen Betroffenen weh tun würde. Seine Friedenspolitik war nicht weich; sie war knochenhart wie er selber.

War sie im Ansatz grundfalsch? Hatte Churchill, der – einer gegen alle – Chamberlains Politik drei Jahre lang in Grund und Boden verdammte und nichts als Narrheit, Schwäche, Schande und Ruin darin sah, ganz und gar recht und Chamberlain ganz und gar unrecht? Das ist seit einem Vierteljahrhundert die allgemeine Meinung. Aber in den drei Jahren 1937, 1938 und auch noch 1939 war die allgemeine Meinung, in England wenigstens, fest vom Gegenteil überzeugt. Die Gründe dafür sind, um der

Neville Chamberlain

historischen Gerechtigkeit willen, auch heute noch immerhin der Betrachtung wert.

Zunächst: Chamberlain kannte die wirtschaftliche und finanzielle Lage Englands weit besser als Churchill, der diese Seite der Dinge immer ein wenig kavaliersmäßig beiseite wischte. Chamberlain, ein langjähriger und im Gegensatz zu Churchill sehr sachkundiger und erfolgreicher Schatzkanzler, wußte, daß England seine Reserven im Weltkrieg erschöpft hatte und daß ein zweiter Weltkrieg, selbst ein siegreicher, für die Wirtschaft und Finanzen Englands, und damit auch für seine prekär gewordene Weltmachtposition, der Ruin sein würde – was sich ja dann auch als zutreffend herausgestellt hat. Selbst Aufrüstung wirklich großen Stils war, was Churchill nie sehen wollte, etwas, das England sich eigentlich kaum leisten konnte; Krieg, Weltkrieg war – von seiner unberechenbar gewordenen Furchtbarkeit sogar einmal ganz abgesehen – etwas, das England um fast jeden Preis vermeiden mußte, wenn es nicht bankrott gehen wollte.

Und war er denn wirklich unvermeidlich? Der Wiederaufstieg Deutschlands zur militärischen Großmacht war nicht mehr zu verhindern, er war 1937 eine vollendete Tatsache. Aber mußte diese Großmacht Deutschland denn unbedingt ein Feind Englands werden? Was wollte Hitler wirklich? Gewiß, auch Kolonien, das war eine heikle und peinliche Sache. Aber hauptsächlich doch ganz anderes: Österreich, das Sudetenland, Danzig, den polnischen Korridor, Oberschlesien. Das alles zusammen bedeutete natürlich die Vorherrschaft Deutschlands in ganz Mittel- und Osteuropa, das sah Chamberlain so gut wie Churchill. Aber war das für England wirklich so unannehmbar bedrohlich, wie Churchill mit Selbstverständlichkeit voraussetzte? Wenn England selber Deutschland bei seinen Bestrebungen sekundierte, ihm freiwillig zu allem verhalf, was es haben wollte, und ihm dabei selbst den Kontinentalkrieg geradezu ersparte, würde das nicht, für eine Weile wenigstens, für eine möglicherweise ziemlich lange Weile, «für unsere Zeit», Frieden zwischen England und Deutschland schaffen? Und würde es Deutschland selber nicht sättigen, es nach und nach schwer, faul und friedlich machen?

Und selbst wenn nicht: Mit wem würde es denn sein immer noch ungestillter Drang nach Osten – angenommen einmal, er wäre wirklich immer noch ungestillt – in Konflikt bringen? Mit England? Mit Frankreich und den Niederlanden, die England allerdings nie preisgeben konnte? Nicht doch; offenbar doch mit Rußland – mit dem bolschewistischen Rußland, gegen das Churchill selber vor noch nicht zwanzig Jahren Deutschland wieder hatte stark machen wollen! Das wollte Chamberlain nicht einmal, er war, bei allem tiefsitzenden Mißtrauen gegen Moskau, kein Kommunistenfresser und Kreuzzügler wie Churchill. Aber wenn es ganz von selbst und ohne sein Zutun schließlich zu einem großen Zusammenstoß zwischen Deutschland und Rußland kommen sollte – wäre das für England so ganz unerträglich? Wenn es, still rüstend und kräftesparend, zuschaute, um schließlich, als Schiedsrichter, den Verlierer in einem deutsch-russischen Krieg vor der Vernichtung zu bewahren – wäre das nicht vielleicht eine ganz vorteilhafte Position?

Schließlich: Mit wem wollte denn Churchill seine Abschreckungs-und, wenn die Abschreckung versagte, seine Kriegskoalition gegen Hitlerdeutschland aufbauen? Amerika war abgerüstet und isolationistisch. Frankreich, vom Weltkrieg ausgeblutet, war noch ängstlicher auf Frieden und Sicherheit bedacht als England. Rußland? Das krisengeschüttelte Rußland Stalins, der gerade damals damit beschäftigt war, seinen ganzen Generalstab umzubringen? Und wenn das alles ausfiel, dann also ein Flickenteppich schwacher, bedrohter, verängstigter europäischer Kleinstaaten? Das war doch lächerlich, das konnte Churchill doch selbst nicht ernst meinen! Wenn er, unberechenbar wie immer, gerade damals den Völkerbund und die kollektive Sicherheit entdeckte, dann mochte ihm das ein paar erstaunte und zögernde Sympathien auf der Linken einbringen. Chamberlain konnte darüber nur ärgerlich die Achseln zucken. Und hat ihm später der Kriegsverlauf in Polen, Norwegen, Holland, Belgien, Jugoslawien, Griechenland, selbst Frankreich nicht recht gegeben?

Wenn man diesen Gedankengängen folgt, kann man verstehen, daß Churchill damals mit seinen Warnungen, die sich heute so prophetisch lesen, vollkommen ungehört blieb – während Chamberlain einen kurzen Ruhm als realistisch-rücksichtsloser Friedensmacher genoß wie kaum ein englischer Staatsmann seit Jahrhunderten. Man muß sich sogar verwundert fragen, woher Churchill die ungeheure innere Überzeugungsfestigkeit nahm, die ihn befähigte, seine völlige Isolierung, ja Verfemung Jahr für Jahr durchzuhalten. Er stand jetzt in der englischen politischen Welt wirklich wieder so da wie vor fünfzig Jahren in der englischen Schul- und Erziehungsmaschinerie, der er als Knabe ebenso ohne Entkommen ausgeliefert gewesen war: ganz unzugehörig, ganz vereinsamt, auf ganz verlorenem Posten, freundlos, vertrotzt, innerlich verweint, ein erfolgloser Rebell, der immerfort Prügel bekam und doch immer wieder protestierend den Mund aufmachte. Nichts mehr von der noch einigermaßen hoffnungsvoll kalkulierenden politischen Taktik, mit der er vor ein paar Jahren noch seine Aufrüstungskampagne geführt hatte. Er wußte jetzt, daß er sich mit jeder unheilverkündenden Rede nur immer unmöglicher machte. Es muß für ihn selbst unheimlich und innerlich zermürbend gewesen sein, als einzigen Halt und einzige Hoffnung die Sicherheit der kommenden Katastrophe zu haben. Aber die hatte er. Und bekanntlich behielt er recht damit.

Was war es, das ihn recht behalten ließ? Was sah Churchill richtig, das der soviel schärfer und genauer kalkulierende Chamberlain falsch sah oder überhaupt nicht sah? Die Antwort besteht in einem einzigen Wort, einem einzigen Namen: Hitler.

Hitler kam in Chamberlains Kalkulationen sozusagen nicht vor. An der Stelle, die Hitler einnahm, stand für Chamberlain eine Abstraktion: ein deutscher Staatsmann, der die Möglichkeiten und Interessen seines Landes genau so nüchtern und rational durchkalkulierte wie Chamberlain die des seinen. Mit einem solchen Partner konnte Chamberlains Politik eigentlich nicht fehlgehen. Mit Hitler als Partner hatte sie keine Chance.

Hitler war nicht nur ein Mann, der Entgegenkommen automatisch als Schwäche und Feigheit auffaßte, die zu Fußtritten einlud. Er war ein Mann, der Krieg um des Krieges willen wollte – oder, genauer, um der biologischen Revolution willen, die sein eigentliches Ziel war und die nur im Krieg möglich wurde. Er war auch kein Staatsmann: Er dachte nicht in Staaten, sondern in Rassen. Die Interessen Deutschlands, die Chamberlain so sorgfältig in seine Rechnung einsetzte, waren Hitler im Grunde gleichgültig, wie er am Ende, 1945, selbst offen aussprach. Deutschland war ihm das Werkzeug, mit dem er seine persönliche Art von Weltrevolution ins Werk setzen wollte: die Ausrottung der Juden, die Versklavung der Slawen, die Züchtung einer neuen germanischen Herrenrasse.

Alles das lag völlig außerhalb von Chamberlains Fassungsvermögen. Eine Erscheinung wie Hitler war für ihn gänzlich unverständlich und eigentlich undenkbar. Auch Churchill hat Hitler sicherlich niemals vollständig begriffen. Aber einiges, immerhin, begriff er – genug für den Hausgebrauch. Er begriff, daß Hitler Krieg wollte und daß Entgegenkommen ihn zu Fußtritten reizte. Er begriff, wenn auch erst allmählich, daß Hitler kein normaler Staatsmann war, sondern eine recht unheimliche Art von Revolutionär – auf seine Art für einen Churchill nicht weniger unheimlich als die Bolschewisten von 1918, so daß er seinen Urhaß auf Lenin und Trotzki leicht auf Hitler übertragen konnte.

Man begreift bekanntlich nur, was man selbst ein wenig in sich hat. Churchill ist eine unendlich vornehmere, menschlichere, edlere Erscheinung als Hitler – moralisch und ästhetisch so weltenfern von ihm wie Schloß Blenheim vom Männerheim in der Wiener Meldemannstraße. Und doch ist es kein Zufall, der diese beiden Männer, den hohen und den niederen, einander zum Schicksal machte. Denn das wurden sie einander ja. Ohne Churchill hätte Hitler triumphiert, und ohne Hitler wäre Churchill als ein brillanter Versager und Anachronismus verstorben. Die beiden Männer, die einander nie im Fleische erblickt haben, marschierten, ohne es zu wissen, seit Jahren aufeinander zu und fochten dann ein tödliches Duell miteinander aus. In einem gewissen Sinne gehörten sie zusammen – und werden sie in der Geschichte immer zusammengehören.

Dreierlei, immerhin, hatten diese beiden weltenverschiedenen Männer gemein: das Kriegerische – beide waren zum Krieg geboren und liebten den Krieg; das Anachronistische – beide gehörten eigentlich nicht recht ins 20. Jahrhundert, sondern in ältere, stärkere Zeiten; und das Extreme – beide gingen, jeder in seiner grundanderen Art, in gewissen Richtungen an äußerste Grenzen, verkümmerten in den gemäßigten Zonen, wo andere gedeihen, und lebten erst auf, wo anderen die Luft ausgeht.

Wir setzen diese Betrachtung an die Stelle einer Geschichte der Chamberlainschen Appeasementpolitik und ihres Scheiterns, für die hier nicht der Platz ist. Genug, daß sie scheiterte – und um so mehr ins Scheitern geriet, je mehr die Initiative aus Chamberlains in Hitlers Hände glitt. Das begann im September 1938 und setzte sich dann, zögernd erst, dann immer rascher und schließlich mit reißender und atemraubender Überstürzung fort, bis, zwölf Monate später, Chamberlain, er wußte kaum wie, sich plötzlich im Krieg mit Hitler fand – dem Krieg, den abzuwenden das ganze Ziel seiner Politik gewesen war.

Genau in demselben Tempo – erst kaum merklich, dann sehr rasch und schließlich reißend – stieg im Laufe des Jahres 1939 plötzlich wieder Churchills Stern. Es war Hitler, der ihn steigen ließ. Im Sommer 1939 notierte Chamberlain in sein Tagebuch: «Winstons Chancen verbessern sich in dem Maße, wie Krieg zu einer Möglichkeit wird – und vice versa.»

Am 3. September erklärte England Deutschland den Krieg. Am selben Tag rief Chamberlain Churchill in die Regierung zurück. Churchill bekam sein altes Amt, in dem er ein Vierteljahrhundert vorher in den Ersten Weltkrieg gegangen war: die Admiralität. Der Admiralstab signalisierte an alle Kriegsschiffe: «Winston ist zurück» – als wäre er nur eben einmal aus der Tür gegangen.

Eine der ersten Amtshandlungen Churchills – der Krieg war noch nicht vierzehn Tage alt – war ein Besuch bei der Flotte in Scapa Flow.

Die Flotte, verglichen mit der, die er vor fünfundzwanzig Jahren unter sich gehabt hatte, war geschrumpft. Zwanzig Jahre Flottenabrüstung lagen hinter ihr. Als der kommandierende Admiral ihn in seinem Flaggschiff abholte, fiel ihm auf, daß das große Schlachtschiff sozusagen nackt fuhr – ohne Begleitzerstörer. *Ich dachte, Sie gingen nie ohne wenigstens zwei davon zur See,* sagte er, *selbst für ein einziges Schlachtschiff.* «Natürlich, so sollte es sein», antwortete der Admiral, «und wir möchten schon. Aber wir haben nicht genug Zerstörer.»

Meine Gedanken gingen zurück, schreibt Churchill, *zu einem andern Septembertag vor einem Vierteljahrhundert, als ich das letzte Mal in dieser selben Bucht gewesen war, zu Besuch bei Sir John Jellicoe und seinen Kapitänen, und sie mit ihren unabsehbar langen Reihen von Schlachtschiffen und Kreuzern vor Anker gefunden hatte ... Die Admirale und Kapitäne von damals waren alle tot oder längst pensioniert. Die hohen Offiziere, die mir jetzt vorgestellt wurden, als ich die einzelnen Schiffe besuchte, waren damals junge Leutnants oder Seekadetten gewesen. Damals hatte ich drei Jahre Zeit gehabt, das höhere Personal persönlich kennenzulernen oder persönlich auszusuchen. Jetzt waren es lauter fremde Gesichter. Die perfekte Disziplin, der Stil, die Haltung, das Zeremoniell – alles unverändert. Aber eine ganz neue Generation trug die alten Uniformen. Nur die Schiffe stammten meist noch aus meiner Zeit. Keines war neu. Es war eine gespenstische Situation, als wäre man plötzlich in eine frühere Existenz zurückversetzt ... Ich fühlte mich seltsam bedrückt von meinen Erinnerungen.*

Wenn wir wirklich denselben Umlauf ein zweites Mal durchmessen sollten – würde ich ein zweites Mal die Qualen der Entlassung durchmachen müssen? Ich wußte, wie Chefs der Admiralität behandelt werden, wenn große Schiffe versenkt werden und alles schiefgeht ...

Und wie stand es mit der furchtbar ernsten, unabsehbaren Feuerprobe, in die wir unwiderruflich verstrickt waren? Polen in Agonie; Frankreich nur noch ein matter Abglanz seines alten kriegerischen

Feuers; der russische Koloß kein Bundesgenosse mehr, kaum ein
Neutraler, möglicherweise ein künftiger Feind. Italien kein Freund.
Japan kein Verbündeter. Würde Amerika jemals wieder mitmachen?
Das britische Empire zwar intakt und glorreich einmütig, aber nicht
kampffertig. Seeherrschaft, ja, die hatten wir gerade noch. In der
Luft, dem neuen tödlichen Kriegsschauplatz, waren wir jämmerlich
unterlegen an Zahl. Irgendwie schwand mir das Licht aus der Land-
schaft.

Es gibt zwei seltene, unheimlich unterminierende, aus den Angeln
hebende Phänomene, dem Leser romantischer Literatur wohlvertraut,
aber für den, dem sie in der Wirklichkeit zustoßen, seelisch kaum
zu bewältigen: den Doppelgänger und das déjà vu – die Begeg-
nung mit dem eigenen Ich und die ebenso schreckhaft entnervende
mit der eigenen Vergangenheit. Hier war ein lupenreiner Fall von
déjà vu. Selten hat das Schicksal mit einem Schicksalsgläubigen (das
war Churchill heimlich immer noch) so unergründlich finster gespielt
und gescherzt wie in diesem Fall. Churchill fand sich zurückversetzt,
zurückgeworfen, über fünfundzwanzig Jahre hinweg, in genau die
alte traumatische Situation, die nie vergessene, nie verwundene: die
Situation seiner höchsten Hoffnung und seines tiefsten, grausamsten
Sturzes. Wieder war er der höchste Flottenchef, wieder brach der Krieg
aus. Nur war alles viel düsterer, viel unheildrohender und zuge-
spitzter als damals: die Flotte viel kleiner und schwächer, der Krieg
viel aussichtsloser, er selbst viel älter, sogar die Regierung, zu der
er plötzlich, von einem Tag auf den anderen, wieder gehörte, viel
fremder, viel unvertrauter – die neuen Kollegen waren eben noch
sämtlich politische Feinde gewesen, der Premierminister Chamberlain kein väterlich-ironischer Gönner wie einst Asquith, sondern
ein sehr Fremder, mit dem sich Churchill nie verstanden hatte, von
dem er nie etwas anderes erfahren hatte als Mißtrauen, Abneigung, ja eine Art stiller Verachtung (die er erwiderte).

Das unheimlich Foppende der Wiederholung war mit dem Flotten-
besuch in Scapa Flow im September 1939 nicht erschöpft. Es hielt
an und erneuerte sich durch neun lange und beklemmende Monate, bis zum Mai 1940. In der Folgezeit mochte es Churchill selbst
im Rückblick wie eine letzte und äußerste Schicksalsprüfung erscheinen, wie ein Examen rigorosum, dem das Schicksal – zu dem er ja
eine alte, intime, atavistisch-religiöse Beziehung unterhielt – seine
Seelenstärke unterwarf, ehe es ihm endlich enthüllte, wozu es ihn

denn also bestimmt hatte, ihm endlich Gewährung nickte, ihm endlich erlaubte, herzugeben, was er in sich hatte, und zu zeigen, was er konnte. Aber solange der Albtraum des déjà vu anhielt, konnte niemand wissen, wozu er das Vorspiel sein würde, auch Churchill nicht. Eher mochte er, der Abergläubische, Wiederholung bis zum bitteren Ende erwarten, bis zum zweiten, endgültigen gräßlichen Absturz.

Man brauchte eigentlich nicht einmal abergläubisch zu sein, um das zu erwarten. Die nüchterne Wirklichkeit sprach weit mehr als ein Vierteljahrhundert zuvor dafür, daß *große Schiffe versenkt werden würden und alles schiefgehen würde;* und Churchill wußte diesmal im voraus, anders als damals, wie Chefs der Admiralität in solchem Fall behandelt werden. Es wäre mehr als entschuldbar, es wäre eigentlich fast selbstverständlich gewesen, daß er sich diesmal als das gebrannte Kind benommen hätte, das das Feuer scheut: also zurückhaltend, vorsichtig, abwartend, absichernd. Er tat es nicht. Sein Dämon war stärker als seine Furcht. Er handelte, mit der Erfahrung von 1914/15 vor Augen, das Trauma von damals tief in die Seele gebrannt, wieder genau wie damals. Es ging auch wieder alles genau so schief wie damals. Die Dardanellen von damals hießen diesmal: Norwegen.

Aber merkwürdig: Was damals sein Verderben gewesen war, wurde diesmal sein Heil. Damals hatten, nach dem Fehlschlag der Dardanellen-Operation, alle die politische Abrechnung überlebt, nur Churchill nicht. Diesmal, nach dem Fehlschlag des Norwegen-Feldzugs, war er der einzige, der die politische Abrechnung überlebte: Rings um ihn her stürzte alles zusammen, er allein blieb übrig wie gefeit. Er war an dem Desaster ebenso schuldig und ebenso unschuldig wie damals. Damals war er weggejagt worden. Diesmal wurde er zum Premierminister gemacht.

Wieder war die Westfront festgefroren. Eine alliierte Offensive kam auf lange Zeit nicht in Frage. Man hoffte, daß auch eine deutsche ohne Chance war. Jedenfalls konnte man nichts tun, als sie abwarten und sich, so gut es ging, auf sie vorbereiten.

Konnte man sonst einstweilen überhaupt nichts tun? Die Mehrheit des englischen Kriegskabinetts neigte zu dieser Ansicht. Nicht so Churchill. Krieg erklären und dann nicht wirklich führen, war ihm etwas Widernatürliches. Er hatte einen richtigen Instinkt dafür, daß es auf die Dauer zermürbend, lähmend, tödlich ist. Er hatte auch – 1939 noch ebenso wie 1914 – strategische Phantasie, vielleicht zuviel davon. Wo andere nichts sahen, sah er Möglichkeiten, feindliche Blößen, in die man hineinstoßen konnte, Ansätze und Chancen. *Seeherrschaft, immerhin, die hatten wir noch.* Gab sie nicht immer noch Beweglichkeit, Allgegenwart, die Fähigkeit, zu überraschen und zu überrumpeln? Gab es nicht Stellen, wo der Feind verwundbar war und wo der lange Arm der englischen Flotte hinreichte, die schwerfällige Landmacht Deutschlands aber nicht?

Immer schon, auch im Ersten Weltkrieg, hatte Churchills strategischer Blick suchend über die Randmeere, Inseln und Halbinseln Europas geschweift. Sie, weit mehr als die zentrale Landmasse, schienen ihm die eigentlichen Ansatzpunkte für eine spezifisch englische, auf Seemacht gegründete Strategie.

Vor 25 Jahren war sein Blick an den Dardanellen hängen geblieben. Diesmal glaubte er, eine strategische Chance auf dem entgegengesetzten Ende der Landkarte zu entdecken, im äußersten Norden Norwegens.

Die Schwäche Deutschlands, darüber war sich 1939 alle Welt einig, war seine prekäre Kriegswirtschaft. Deutschland fehlten viele kriegswichtige Rohmaterialien. Es hatte zum Beispiel nicht genug Erz. Es war auf schwedisches Erz angewiesen, aus dem hohen Norden. Im Sommer kam es über die Ostsee; dort war für England nichts zu machen. Jetzt aber war Herbst, und bald würde die Ostsee zufrieren. Im Winter mußte das Schwedenerz über die Lofotenbahn nach dem nordnorwegischen Hafen Narvik transportiert werden, und dann zu Schiff entlang der norwegischen Schärenküste nach Deutschland. Gegenüber Norwegen aber, in Schottland, lag die englische Flotte.

Wie, wenn sie überraschend zupackte, die Schären verminte, Narvik im Handstreich nahm? Völkerrechtlich bedenklich, gewiß, obwohl es irgendwelche Präzedenzfälle aus dem Ersten Weltkrieg gab (man mußte das nachsehen); aber was für eine glänzende Möglichkeit, die deutsche Stahlerzeugung und Waffenproduktion an der Wurzel zu lähmen!

Bereits am 19. September brachte Churchill seine Idee im Kriegskabinett vor. Zehn Tage später stieß er mit einem gründlichen Memorandum nach. Fast gleichzeitig übrigens, am 3. Oktober, unterbreitete Admiral Raeder Hitler einen ersten Plan zur Besetzung von Stützpunkten in Norwegen, zwecks Sicherung der Erzzufuhr; und den ganzen Winter über arbeiteten die deutschen und die englischen

Kriegszentren, ohne voneinander zu wissen, an ganz ähnlichen Plänen, die alle auf Norwegen zielten. Nur arbeiteten die Deutschen schneller.

Man kann an der Zeitdifferenz das Maß der größeren englischen Skrupel ablesen; man kann darin auch einfach den Vorteil sehen, den im Kriege ein Diktator über ein Kabinettskollegium hat. Es ist nicht unfair, anzunehmen, daß Churchill hauptsächlich das zweite sah. Noch seinen Jahre später geschriebenen Erinnerungen ist anzumerken, wie er unter den monatelangen Debatten litt, die genau so lange dauerten, bis das ganze Unternehmen seinen strategischen Sinn verloren hatte; unter den halben und dann wieder zurückge-

Bei Narvik: Landung deutscher Fallschirmjäger

nommenen Entschlüssen, dem Hin und Her, den Kompromissen, dem Zwang, zu argumentieren, wo er hätte entscheiden und befehlen wollen. Es war genau wie 1915 bei der Vorbereitung der Dardanellen-Operation – nur daß diesmal die Zusammenarbeit von Flotte und Armee, die damals schon höchst mangelhaft gewesen war, überhaupt nicht klappte.

Norwegen 1940 wurde dann im Ergebnis eine noch schnellere, größere und blamablere Niederlage, als es die Dardanellen 1915 gewesen waren. Und Churchill konnte sich, bei strenger Selbstprüfung, von der Schuld oder Mitschuld am Fehlschlag noch weniger freisprechen als damals. Die Dardanellen-Operation war strategisch ein gesunder Gedanke gewesen – nur in der Ausführung verdorben. Die Norwegen-Operation enthielt von Anfang an einen strategischen Denkfehler: Die Impotenz der Seemacht vor überlegener feindlicher Luftmacht war nicht einkalkuliert gewesen. Am 9. April, als klarwurde, daß die Deutschen den Engländern in Norwegen zuvorgekommen waren, jubelte Churchill noch im Kabinett: *Wir haben sie, wo wir sie haben wollten.* Er glaubte, daß die englische Flotte die über die Nordsee geworfenen deutschen Truppen nun abschneiden konnte. Er übersah, daß die Deutschen jetzt auch die norwegischen Flugplätze hatten und daß eine Flotte unter einem von feindlichen Bombern beherrschten Himmel nicht mehr operieren konnte. (Ja, wenn es eine moderne Flotte von Flugzeugträgern gewesen wäre... Aber es war noch ganz überwiegend eine Flotte von Schlachtschiffen, Churchills alte Flotte aus dem Ersten Weltkrieg.)

Am 2. Mai war das Scheitern der norwegischen Expedition nicht mehr zu verheimlichen. Am 7. und 8. Mai saß das Unterhaus zu Gericht darüber. Am 10. Mai begann die deutsche Großoffensive an der Westfront. Am selben Tag trat Chamberlain zurück, und Churchill wurde Premierminister.

Edward Frederick, Earl of Halifax

Es war fast auf den Tag fünfundzwanzig Jahre her, seit Churchill in Asquiths Dienstzimmer getreten war und den furchtbaren Schlag seiner Entlassung empfangen hatte. Was ihn damals die politische Existenz gekostet hatte, brachte ihm diesmal die höchste Macht ein. Maßlose und ungerechte Bestrafung das eine, maßlose (und ebenso ungerechte) Belohnung das andere Mal – für dasselbe. So unberechenbar, blind und launisch entscheidet das politische Roulette. Oder so unergründlich hintersinnig das Schicksal?

Man kann das Drama dieser Maitage von nahem, präzis und de-

tailliert als die komplizierte politische Intrige sehen, die es vorder-
gründig war; dann ist es eine bittere Komödie, in der Strafen und
Belohnungen höchst willkürlich ausgeteilt wurden. Oder man kann
es von weitem, einfach und allerdings auch vage, als eine Entscheidung sehen, die «England» traf, das Allgemeingefühl des Volkes;
dann wird alles sinnvoll, gerecht und einleuchtend; allerdings auch
unbeweisbar.

Auf der politischen Vorderbühne spielten sich die Dinge, knapp
zusammengefaßt, wie folgt ab: Chamberlain 1940, wie Asquith 1915,
stand an der Spitze einer reinen Parteiregierung. Labour und Liberale standen in Opposition, wie damals Labour und Konservative.
Jetzt wie damals ergab sich ein Sachzwang zur großen Koalition:
In einem Krieg, der lang und hart zu werden verspricht und der mit
Niederlagen angefangen hat, kann sich kein Land Parteipolitik auf
die Dauer leisten. Chamberlain war aber als Premierminister für die
bisherigen Oppositionsparteien (anders als vor 25 Jahren Asquith)
unannehmbar. Er hatte sich zu viele Feinde gemacht. Große Koalition hieß Wechsel des Premierministers.

Wer konnte Chamberlain ersetzen? Es konnte nur ein Konservativer sein: Die Konservativen hatten immer noch die große Mehrheit im Parlament. Chamberlains eigener Nachfolgekandidat war
sein Außenminister, Lord Halifax; und in mancher Hinsicht schien
er der geeignetere Nachfolger als Churchill. Halifax war ein Mann
ohne Feinde, ein Mann des Ausgleichs und der Versöhnung; mit-
verantwortlich für Appeasement, hatte er sich früher und geschickter
als Chamberlain davon distanziert; er war recht eigentlich der Mann
des Übergangs vom Appeasement zur Kriegsbereitschaft gewesen.
Für die bisherigen Oppositionsparteien war er in vieler Hinsicht
annehmbarer als Churchill, dessen reaktionäre Periode nicht vergessen war.

Aber er saß, als Lord, im Oberhaus; seit 40 Jahren war es Ge-
wohnheitsrecht geworden, daß der Premierminister im Unterhaus
sitzen mußte. Darüber wäre in Ausnahmezeiten vielleicht hinweg-
zukommen gewesen. Schwerer wog, daß er eben ein Mann des Ausgleichs und der Versöhnung war, kein Mann des Krieges. Und jetzt
war Krieg.

Hier gehen die vordergründigen, politisch-taktischen Erwägungen in die vagen, aber wirklich entscheidenden Hintergrundsgedan-
ken über, die in diesen Tagen wirksam waren. Auch die Politiker,

die ihre taktischen Kalkulationen über die Personalfragen einer Koalitionsregierung anstellten, waren ja nicht frei von den unformulierbaren, aber unüberhörbaren Einflüsterungen des kollektiven Unterbewußtseins, denen in diesen Tagen und Wochen jeder Engländer ausgesetzt war.

Nachträglich formuliert, besagten sie etwa folgendes: Chamberlain ist ein Mann des Friedens, und er hat seinen Pfeil verschossen. Er hat den Frieden gewollt, aber was dabei herausgekommen ist, ist der Krieg, und für den Krieg ist er nicht zu gebrauchen. Halifax ist ein würdevoll-wendiger Mann, ein Mann des Ausgleichs und der Anpassung, ein vieldeutiger Mann. Er hat, für seine Person, aufs eleganteste den Übergang vom Frieden zum Krieg bewerkstelligt, es wäre ihm zuzutrauen, daß er auch den Rückweg mit würdevoller Eleganz zu finden wüßte. Wenn der Krieg verlorengeht, wäre er vielleicht der Mann, auf leidliche Art einen gerade noch erträglichen Frieden zustande zu bringen. Aber wollen wir das denn, und ist denn der Krieg schon verloren? Zum Teufel, nein! Erst wollen wir doch einmal sehen, ob er nicht doch noch zu gewinnen ist. Was England jetzt erst einmal braucht, ist ein Krieger.

Und den gibt es ja: Churchill. Churchill ist ein Krieger, er liebt den Krieg, er hat nicht nur den Ersten Weltkrieg geradezu genossen, er hätte am liebsten 1919 gleich einen neuen Krieg gegen Rußland geführt, und 1922 einen gegen die Türkei, und den Krieg gegen Deutschland, in dem wir jetzt drinsitzen, hätte er wohl auch schon 1935 oder 1936 oder 1938 begonnen, wenn man ihn gelassen hätte. Gerade weil er ein Mann des Krieges ist, haben wir ihn ja nie ans Ruder gelassen. Jetzt wird genau solch ein Mann gebraucht, jetzt ist er der richtige Mann. Dardanellen hin, Norwegen her. Er mag Fehler gemacht haben, aber ein Krieger ist er jedenfalls, und jetzt ist Krieg. Soll er jetzt zeigen, was er kann. Vielleicht kann er uns heraushauen. (Wenn nicht, ist für Halifax immer noch Zeit.)

«England» hatte den Krieg, von dem es überzeugt war, daß Churchill ihn immer gewollt hatte, n i c h t gewollt – aber jetzt hatte es ihn; also sollte Churchill ihn jetzt führen: Das war der primitive, nie formulierte, aber überwältigende Grundgedanke, der in diesen Tagen, wie eine große Woge alle Vordergrundserwägungen überschwemmend und überflutend, Churchill nach oben trug.

Bei der Abstimmung am 8. Mai hatten über 30 Konservative mit den Oppositionsparteien gegen die Regierung gestimmt, über 60

Stimmenthaltung geübt. Chamberlain war sofort hart und selbstlos zum Rücktritt entschlossen. Zwei Tage lang kämpfte er noch um die Nachfolge Halifax'. Aber die Waage neigte sich schon zugunsten Churchills – als Hitler ihr am Morgen des 10. Mai mit dem Großangriff im Westen endgültig den Ausschlag gab. Wieder die beinah okkulte Schicksalsbindung der beiden Männer. Hitler hatte Churchill im Jahre 1939 wieder auf die englische politische Bühne gebracht; Hitler entschied jetzt, am 10. Mai 1940, darüber, daß er Premierminister wurde. Chamberlain gab am 10. Mai seinen Widerstand gegen Churchill auf; und er war es jetzt, der loyal die immer noch widerstrebende Mehrheit der Konservativen hinter Churchill formierte.

Ein Seitenblick auf die persönliche Tragödie Chamberlains ist angebracht. Als das Kabinett Anfang September, auf seinen eigenen Vorschlag, beschlossen hatte, England auf einen mindestens dreijährigen Krieg einzurichten, war sein Kopf auf die Tischplatte gesunken, und als er ihn wieder

Premierminister, 1940

erhob, war sein Gesicht totenblaß. Der Gedanke an drei Jahre Krieg war ihm unerträglich: Und doch hatte er selbst den Antrag eingebracht. Ebenso war er selbst es jetzt, der den Krieger Churchill, seinen Antipoden und Gegentyp, zu seinem Nachfolger machte und sich selbst zu Churchills treuestem Schildhalter.

Niemand als Chamberlain hätte die Masse der Konservativen, mit ihrem alten, in vielen Fällen schon ererbten, tiefen Mißtrauen gegen Churchill, in diesem schrecklichen Sommer 1940 auf Churchill einschwören können. Er tat es, selbstlos, hart und konsequent, ohne Wimpernzucken. Aber er zerbrach darüber. Am 10. Mai hatte er sein Amt an Churchill übergeben. Am 16. Juni brach er plötzlich mit Leibkrämpfen zusammen. Einen Monat später wurde Krebs festgestellt. Er blieb noch drei Monate Minister unter Churchill und ließ sich nichts anmerken. Am 9. November war er tot.

Churchill selbst spielte in der Krise, die ihn zum Premierminister machte, kaum eine aktive Rolle. Am 8. Mai hatte er im Unterhaus noch nach besten Kräften die Regierung verteidigt, und der alte Lloyd George, zum letztenmal in eine große Debatte eingreifend, hatte ihm zugerufen: «Lassen Sie sich nicht zu einem Splitterbunker für Ihre Kollegen machen!» Als Chamberlain ihn und Lord Halifax zu sich rief, um über die Nachfolge zu beraten, schwieg er. Natürlich drängte es ihn mit allen Fasern zur Macht. Aber er war abergläubisch und ein gebranntes Kind. Er wollte nichts verderben. Er war auch schicksalsgläubig, und er mochte fühlen, daß jetzt endlich, endlich das Schicksal, das ihn so lange genarrt und gefoppt, aber auch aufgespart hatte, zeigte, wozu es ihn aufgespart hatte, und daß er nichts mehr dazu zu tun brauchte. Seine Stunde war da – und, wie er in einer berühmten Stelle seiner Weltkriegserinnerungen festgehalten hat –:

Ich fühlte eine tiefe Erleichterung. Endlich hatte ich die Macht über das Ganze und konnte Befehle geben. Ich hatte das Gefühl, mit dem Schicksal zu wandeln. Mein ganzes vergangenes Leben schien mir jetzt nichts als eine Vorbereitung gewesen zu sein – eine Vorbereitung auf diese Stunde und diesen Test. Zehn Jahre in der politischen Wüste hatten mich von allem Parteienhader befreit. Meine Warnungen in den letzten sechs Jahren waren so zahlreich und präzis gewesen, und waren nun so schrecklich wahr geworden, daß niemand mir Widerpart halten konnte. Niemand konnte mir vorwerfen, den Krieg gemacht zu haben. Niemand konnte mich tadeln, ihn nicht rechtzeitig vorbereitet zu haben. Ich glaubte, eine ganze Menge davon zu verstehen, und ich war gewiß, ich würde nicht versagen. Daher erwartete ich, als ich um 3 Uhr nachts zu Bett ging, den Morgen zwar mit Ungeduld, aber ich schlief traumlos. Ich brauchte keine tröstenden Träume. Fakten sind besser als Träume.

DER MANN DES SCHICKSALS

Bis zum Jahre 1940 ist es durchaus möglich, die Gestalt Churchills aus der Weltgeschichte und sogar aus der Geschichte Englands weg-zudenken, ohne daß sich dadurch am Gesamtbild etwas Entscheiden-des ändern würde: Ein Glanzlicht würde fehlen, mehr nicht. Ebenso ist es dann wieder von 1942 an. Wenn Churchill im Winter 1943/ 44 an der Lungenentzündung, die ihn auf der Rückreise von der Teheran-Konferenz in Karthago aufs Krankenbett warf, gestorben wäre, hätte das keinen wesentlichen Unterschied mehr gemacht: Der gigantische Nußknacker, zwischen dessen Stahlbacken das Deutsch-land und Europa Hitlers 1945 zermalmt wurde, war bereits angesetzt und hätte ohne Churchill funktioniert wie mit ihm.

Aber in den Jahren 1940 und 1941 war Churchill der Mann des Schicksals. In diesen Jahren schmilzt seine Biographie in die Welt-geschichte ein; man kann die eine nicht ohne die andere erzählen. Man nehme Churchill aus der Geschichte dieser Entscheidungsjahre heraus – und es ist nicht mehr dieselbe Geschichte. Niemand kann sagen, wie sie ohne Churchill verlaufen wäre.

Hätte es ohne Churchill irgendwann im Herbst 1940 oder im Som-mer 1941 einen Kompromißfrieden oder einen Waffenstillstand zwi-schen England und Deutschland gegeben? Es ist nicht zu beweisen, aber auch nicht auszuschließen. Hätte Hitler, mit so gewonnener Rük-kenfreiheit, Rußland plangemäß niedergeworfen? Vielleicht nicht, aber vielleicht doch; wenn man bedenkt, an was für einem Haar die Entscheidung vor Moskau im Oktober 1941 hing, möchte man eher sagen: Wahrscheinlich ja. Wäre es ohne Churchill zu einem amerikanisch-deutschen Krieg gekommen? Anders gefragt: Wäre es Roosevelt ohne Churchills entscheidenden Anstoß und ständige Mithilfe möglich gewesen, Amerika so, wie es dann gelang, gegen Deutschland zu engagieren? Kaum.

Gewiß, es ist am Ende nicht Churchills England allein gewesen, das Deutschlands Macht brach und Hitler in den Boden trat. Dazu reichte seine Kraft nicht aus, dazu bedurfte es der Allianz der bei-den Giganten, Amerika und Rußland. Aber ohne Englands tödliche Entschlossenheit in dem einsamen Jahr vom Juni 1940 bis zum Juni 1941 hätte es diese höchst unnatürliche Allianz wahrschein-lich nie gegeben, und ohne Churchill hätte es möglicherweise Eng-lands tödliche Entschlossenheit nicht gegeben.

Kurz, ohne den Churchill der Jahre 1940 und 1941 ist es durchaus vorstellbar, daß heute ein achtundsiebzigjähriger Hitler über einem großgermanischen SS-Staat thronen würde, der vom Atlantik bis zum Ural oder darüber hinaus reichte. Ohne Churchill würde auch möglicherweise heute noch das britische Empire existieren (das Hitler ja durchaus erhalten sehen wollte) – allerdings in unbehaglicher Juniorpartnerschaft mit Hitlers eurasiatischem Festlandsreich, und wahrscheinlich in stark faschisierter und barbarisierter Form. Die Weltgegenrevolution, mit der Churchill selbst in den zwanziger Jahren so häufig geliebäugelt hatte – ohne Churchill hätte sie vielleicht, mindestens fürs erste, gesiegt. Nicht einmal dies ist auszuschließen: daß der Abrechnungs- und Unterwerfungskrieg gegen Amerika, den Hitler nach der Kolonisierung Rußlands an der Spitze der Alten Welt noch persönlich zu führen hoffte, und zwar im Bündnis mit dem britischen Empire, inzwischen stattgefunden hätte und gewonnen worden wäre.

Aber es gab Churchill, und so ist die Weltgeschichte anders verlaufen. Dank Churchill hat sich England 1940 Hitler im entscheidenden Augenblick seines fast schon gelungenen Durchbruchs in den Weg geworfen – wenn man will, gegen sein eigenes eng und nüchtern kalkuliertes Interesse. Es hat dabei seine physische Existenz ebenso wie seine wirtschaftliche und imperiale Existenzgrundlage aufs Spiel gesetzt. Seine physische Existenz hat es erfolgreich verteidigt; seine Wirtschaft hat es nachhaltig ruiniert und sein Empire verloren.

Dank Churchill ist nicht Deutschland, sondern sind Amerika und Rußland Beherrscher Europas geworden. Dank Churchill spielt der Faschismus keine Weltrolle mehr, sondern Liberalismus und Sozialismus kämpfen in der Weltinnenpolitik um den Vorrang. Dank Churchill ist die Weltgegenrevolution aufs Haupt geschlagen und der Weltrevolution die Bahn freigemacht worden.

Das meiste davon hat Churchill nicht gewollt, obwohl er es für den schlimmsten Fall sehend in Kauf nahm. Er hat geglaubt und gehofft, die in Kauf genommenen Gefahren abwenden zu können, hat hart, zäh und einfallsreich darum gerungen, sie abzuwenden, und ist damit gescheitert: das ist seine Tragödie. Aber eines hat er gewollt: den unbedingten, totalen Sieg über Hitler und Hitlers Deutschland, und zwar, wenn es sein mußte, um jeden Preis; den hat er erreicht, und das ist sein Triumph.

In seiner allerersten Parlamentsrede als Regierungschef, der berühmten *Blut-, Schweiß- und Tränen*-Rede vom 13. Mai 1940, erklärte Churchill, seine Politik erschöpfe sich darin, Krieg zu führen – *Krieg gegen eine monströse Tyrannei, wie sie nie übertroffen worden ist im finsteren Katalog der Verbrechen der Menschheit;* und sein einziges Ziel sei Sieg – *Sieg um jeden Preis.* Viele seiner Zuhörer – die ja nüchterne, abgebrühte englische Parlamentarier waren und sich das alles auch ziemlich ungerührt, ohne große Beifallsstürme, anhörten – mochten es für die barocke Churchillsche Rhetorik halten, an die sie gewöhnt waren. Es war aber, wie sich zeigen sollte, tödlich ernst gemeint.

Ein paar Wochen später machte er das noch deutlicher. Nach Dünkirchen, als einen Augenblick lang niemand in London sicher war, ob Hitler sich nun als nächstes gegen das wankende Frankreich oder

Dünkirchen 1940: englische Truppen warten auf die rettenden Schiffe

gegen das fast entwaffnete England wenden würde, erklärte Churchill dem Parlament: *Ich glaube keinen Augenblick daran, aber wenn es so kommen sollte, daß diese Insel unterworfen ist und verhungert, dann werden unser Empire und unsere Flotte weiterkämpfen, so lange, bis die Zeit erfüllt ist und die Neue Welt in Waffen zur Befreiung der Alten antritt.* Das war stark; und das Parlament, jedenfalls seine konservative Mehrheit, hörte es wiederum in Schweigen an – einem Schweigen, das als Ergriffenheit, Beklommenheit oder aber auch als stille Ablehnung gedeutet werden mochte.

Aber Churchill wußte, was er sagte; und er wußte es durchzusetzen. In einem Augenblick, in dem sonst in England noch fast jedermann nur ans nackte Überleben dachte – und mancher Politiker wohl auch schon daran, wie man sich, nach einiger Gegenwehr, leidlich aus der Affäre ziehen könnte –, plante Churchill bereits die

neue Kriegskoalition mit Amerika und den Totalsieg dieser Koalition; und wenn für den Totalsieg *diese Insel* aufgeopfert werden mußte – nun, dann mußte sie es eben. Es ist diese ungeheuerliche Entschlossenheit zum Sieg um jeden, buchstäblich jeden Preis, die Churchill 1940 zum Mann des Schicksals machte.

Churchill und England 1940 – das war nicht dasselbe, obwohl Churchill selber es immer behauptet hat. *Euer war das Löwenherz,* erklärte er später generös; *mir fiel es nur zu, das Brüllen des Löwen zu liefern.* Aber das war zu bescheiden.

Gewiß, an den bemerkenswerten Abwehrerfolgen Englands im Jahre 1940 – der aufopfernden Rettung der Armee aus dem brennenden, umzingelten Dünkirchen, dem Sieg in der Luftschlacht über England und dem ägyptischen Tannenberg, mit dem zum Ausgang des Jahres die italienische Afrikaarmee vernichtet wurde – ist Churchills persönlicher Anteil gering; er kommentierte sie mehr als er sie inspirierte, und auch ohne Churchill hätte England, mit dem Rücken gegen die Wand gezwungen, sich wohl seiner Haut zu wehren gewußt. An phlegmatischer, phantasiearmer Zähigkeit und Tapferkeit im Unglück hat es England nie gefehlt. Aber was man ohne Churchill daraus gemacht hätte und wie es dann weitergegangen wäre, das ist eine andere Frage. Meistens hat England auch in den heldenhaften Stunden seiner Geschichte seinen nüchternen Vorteil nicht ganz aus dem Auge verloren und seine Kriege beizeiten abzubrechen gewußt; ganz grundlos hat es sich nicht den Beinamen «perfides Albion» zugezogen. Daß es diesmal so ganz anders kam, das ist Churchills Werk.

In dem bemerkenswert nervenstarken Selbstgefühl und Selbstvertrauen, mit dem England sich 1940 zunächst einmal verteidigte, lag unverkennbar auch ein Zug von Selbstbeschränkung. Die Hunderte von englischen Fischern und Kleinreedern und Wassersportlern, die Ende Mai, als in Frankreich alles zusammenbrach, ganz unaufgefordert und auf eigene Faust mit ihren Nußschalen in den Bombenhagel von Dünkirchen hinüberfuhren, um die Armee heimholen zu helfen, bewiesen nicht nur ihren Heldenmut, sondern auch ihren Insulanerinstinkt. König Georg VI. – ein weit typischerer Engländer als Churchill – schrieb damals in einem Privatbrief: «Persönlich ist mir viel wohler zumute, daß wir jetzt keine Bundesgenossen mehr haben, denen wir schön tun und die wir in Watte pakken müssen.» Und ein englischer Diplomat äußerte kurz darauf –

und zwar in einem der vorsichtigen Kontaktgespräche, die damals unter der Hand hier und dort mit Neutralen und auch schon mit deutschen Mittelsmännern stattfanden, und in die Churchill, als er davon hörte, mit Löwenpranke dreinfuhr –: die Zeit der europäischen Garantien sei für England vorbei; England müsse jetzt an sich selbst denken.

Wahrscheinlich hätte er den meisten Engländern damit mehr aus der Seele gesprochen als Churchill, wenn er nach Dünkirchen davon sprach, daß er auch nach dem Verlust *dieser Insel* weiterkämpfen werde, oder wenn er vierzehn Tage später, nach der Kapitulation Frankreichs, erklärte: *Was wir verlangen, ist gerecht, und wir nehmen nichts davon zurück. Kein Jota, keinen I-Punkt lassen wir ab. Tschechen und Polen, Norweger, Holländer und Belgier haben ihre Sache mit der unseren vereint. Sie alle müssen wiederaufgerichtet werden.* Die Nazi-Tyrannei, andererseits, *muß für immer gebrochen werden.* Im Grunde verlangte Churchill schon 1940, während England noch um sein nacktes Leben kämpfte, Hitlers bedingungslose Kapitulation.

Mao Tse-tung hat gesagt, die Quintessenz jedes Krieges sei, sich selbst zu erhalten und den Feind zu vernichten. Man könnte sagen, daß «England» und Churchill diese beiden Kriegsziele 1940 untereinander aufteilten. «England» kämpfte, um sich selbst zu erhalten; auf die Vernichtung seines Feindes wäre es möglicherweise, wenn nötig, bereit gewesen zu verzichten. Churchill aber hatte fest vor, den Feind zu vernichten – und er war schlimmstenfalls bereit, dafür sogar Englands Existenz dranzugeben. Übrigens legte er damit vielleicht schon unbewußt den Grundstein für das tiefe, unausgesprochene, subtile Mißverständnis mit seinem Lande, das schließlich 1945, in der Stunde seines größten äußeren Triumphes, zu seinem Sturz führte.

Was waren die Wurzeln seines Entschlusses? Woher dieser eisenharte, verbissene Vernichtungswille, der den Churchill von 1940 zu einer Sagengestalt gemacht hat – einem vorweltlichen Kriegsdämon, der mit nackter Faust die Weltkugel stemmt, umloht von den Feuern des brennenden London?

Wenn man die ungeheuerlich herausfordernden, alle Brücken abbrechenden Schimpfkanonaden liest, mit denen er den siegreichen Hitler damals überschüttete – *dieser üble Mensch, diese Verkörperung des Hasses, dieser Brutherd von Seelenkrebs, diese Mißge-*

burt aus Neid und Schande; das Richtschwert in der Faust, werden wir uns an seine Fersen heften –, dann möchte man einen Augenblick glauben, der Radikalismus seiner Jugend sei damals wieder in ihm lebendig geworden; denn wem er damit aus der Seele sprach und die Begeisterungstränen in die Augen trieb, das war ja die europäische und auch die englische Linke, die Hitler wie den leibhaftigen Satan zu hassen gelernt hatte. Damals wurde Churchill – jahrelang zuvor selber eine Art kleinerer Unterteufel in ihren Augen – ihr Held, in England und überall.

Aber sehr vorschnell wäre es, deswegen zu glauben, er sei nun selbst wieder einer von ihnen, ein Radikaler, ein Fortschrittler, ein Linker geworden; das war der Churchill des Zweiten Weltkriegs ganz und gar nicht, und er zeigte es im späteren Kriegsverlauf deutlich genug. Sicher, er brauchte damals die Linke, weil sie allein seinen absoluten Sieges- und Vernichtungswillen teilte – die englischen Konservativen, die eben noch Hitler hochgelobt und starkgemacht hatten und immer noch kaum begriffen, woran die beabsichtigte Partnerschaft mit ihm eigentlich gescheitert war, teilten ihn ganz gewiß nicht; und er hofierte die Linke nicht nur mit Worten, sondern auch mit Taten. Den großen Gewerkschaftsboss Ernest Bevin zum Beispiel, vor bloß vierzehn Jahren Führer des Generalstreiks, gegen den er damals am liebsten einen Bürgerkrieg entfesselt hätte, holte er jetzt in sein Kabinett und machte ihn praktisch zum Arbeitsdiktator. Er spielte auf allen erreichbaren Instrumenten, unter anderm auch auf dem des linken Antifaschismus. Aber er selbst war kein linker Antifaschist, auch jetzt nicht.

War es dann also persönlicher Haß auf Hitler? Das Gefühl eines persönlichen Duells spielte sicher irgendwie mit, und auch der Abscheu Churchills für Hitler war echt – der Abscheu des geborenen Grandseigneurs für den Emporkömmling, und auch der Abscheu eines ritterlichen und sehr menschlichen Mannes für einen üblen und grausamen. (Churchill, obwohl ein geborener Krieger, war sehr menschlich, oft geradezu weichherzig, so wie ja leidenschaftliche Jäger oft große Tierliebhaber sind. Grausamkeit gegen Schwächere und Besiegte haßte er wie die Sünde; und die war ja nun freilich Hitlers ausgeprägtester Charakterzug.) Aber man unterschätzt Churchill, wenn man glaubt, daß er aus rein persönlichen Haßgefühlen einen Weltkrieg führte. Übrigens ist es merkwürdig, zu beobachten, wie sich sein Haß gegen Hitler im Laufe des Krieges verlor.

Der Ton, in dem er öffentlich von ihm sprach, wandelte sich von Fluch und maßloser Beschimpfung zu allmählich immer leiserem Spott; und im Jahr des Sieges, 1945, sprach Churchill überhaupt nicht mehr von Hitler. Hitler interessierte ihn nicht mehr.

Nein, was Churchill trieb, war weder Antifaschismus noch persönlicher Haß; freilich auch kaum normaler Patriotismus – der wäre mit Englands Interessen und Englands Existenz nicht so rücksichtslos umgesprungen. Es war Ehrgeiz. Und zwar ein doppelter Ehrgeiz: Ehrgeiz des Staatsmanns und Ehrgeiz der Person Churchill (fast ist man versucht zu sagen: des Künstlers Churchill).

Ernest Bevin

Der Ehrgeiz des Staatsmanns, den Ehrgeiz für sein Land, war wohl, trotz allem, sein Hauptmotiv. Es ist kein Widerspruch dazu, daß er, wie gezeigt, den Untergang seines Landes riskierte. Ehrgeiz und Opfergang schließen einander nicht aus, sie gehören sogar zusammen. Das L e b e n Englands war Churchill bereit, aufs Spiel zu setzen. Die B l a m a g e, die in einem Kompromißfrieden gelegen hätte, wollte er ihm unbedingt ersparen.

Wie war es denn? England hatte vor Hitler ein Haltsignal hochgezogen, es hatte, nach der Erfahrung von München und Prag, sinngemäß gesagt: «Wenn du nun auch noch Polen angreifst, gehen wir dir ans Leben.» Hitler hatte das verächtlich beiseite gewischt, er hatte Polen angegriffen und unterworfen, und jetzt hatte England alle Hände voll zu tun, daß es ihm nicht selbst ans Leben ging. Wenn es sich jetzt, nach leidlich erfolgreicher Selbstverteidigung, mit Hitler auf eine Weise verglich, die sein eigenes Leben zwar bewahrte, aber Hitlers grausamen Triumph über Polen bestätigte – gewiß, die englischen Politiker, die einen solchen Vergleich zustande gebracht hätten (und es gab mehrere, denen es zuzutrauen war), würden das

125

Deutsche Truppen auf dem Vormarsch in Polen

als schönen Erfolg ihrer Staatsvernunft ausgegeben haben, und «England», in seiner Erleichterung, würde es ihnen vielleicht abgenommen haben; aber eine schauderhafte Blamage vor aller Welt wäre es natürlich doch gewesen.

Umgekehrt, wenn England auch jetzt, in äußerster eigener Lebensgefahr, zu seinem Wort stand, daß der Angriff auf Polen Hitler das Leben kosten würde – und wenn es dieses Wort dann am Ende doch wahrmachte: würde das ihm nicht Ehre machen wie nichts in seiner langen Geschichte? Und war es denn wirklich unmöglich? Churchill sah eine Möglichkeit: Sie hieß Amerika.

Wenn Amerika jetzt vor die Alternative gestellt wurde, England

zu stützen oder untergehen zu sehen, dann mußte es England stützen; denn es konnte es sich nicht leisten, Hitler zum Herrn des Atlantik werden zu lassen. War es aber einmal so weit, daß Amerika England stützte, dann mußte es früher oder später auch Englands Krieg ganz und gar mitmachen; dafür konnte man sorgen. Und die vereinte Kraft Amerikas und des englischen Empire, so meinte Churchill, reichte zum totalen Sieg.

Vielleicht reichte sie nur knapp. Sicher würde der Krieg lang sein, denn selbst England war ja längst noch nicht voll gerüstet und voll mobilisiert, und Amerika hatte mit Rüstung und Mobilisierung noch nicht einmal angefangen. Aber ein langer gemeinsamer Krieg – bot der nicht, neben seinen Schrecken und Leiden, auch ungeahnte, triumphale und glorreiche Möglichkeiten des Zusammenwachsens? Wenn, zugleich mit dem Sieg über Hitler, so etwas zu erringen wäre wie eine Wiedervereinigung der englischsprechenden Völker – würde ihrer geballten Macht nicht die Welt zu Füßen liegen?

Es ist nachweisbar, daß Churchill schon in den dunkelsten Tagen des Sommers 1940 diese Vision klar vor Augen hatte. Schon im August, während die Luftschlacht über England noch unentschieden tobte und die Invasion drohte (der England zu Lande nicht viel entgegenzusetzen hatte), sprach er vor dem Parlament davon, daß England und Amerika *in nächster Zeit ein bißchen durcheinandergequirlt werden würden,* und dann, aus dem Burschikosen ins Hymnische fallend, sprach er von der künftigen Einheit der englischsprechenden Demokratien, die dahinrollen werde, unaufhaltsam, se genspendend, majestätisch *wie der Mississippi*. Und wiederum meinte er wortwörtlich, was er sagte.

Aber über dem Ehrgeiz des Staatsmanns Churchill für sein Land dürfen wir auch den Ehrgeiz des Menschen, des Künstlers, des Kriegskünstlers Churchill für sich selbst und seinen Nachruhm nicht übersehen.

Beides war wirklich und wirksam, und jedes davon hätte als Motiv genügt: Die große staatsmännische Vision eines England, das nicht nur glorreich sein Wort wahrmachte, sondern dabei auch gleich noch das seit fast zwei Jahrhunderten abtrünnige Amerika zurückgewann zu neuer, höherer Einheit – aber auch der brennende persönliche Ehrgeiz des ein Leben lang nie recht zum Zuge gekommenen, immer wieder zurückgewiesenen, beinah schon gescheiterten, beinah schon verachteten alten Politikers und Kriegsfachmanns, dem man jetzt, in der letzten Not, einen heillos verfahrenen, unglücklich angelegten, fast schon verlorenen Krieg in die Hand gedrückt hatte, und der es sich zutraute und entschlossen war, daraus, koste es, was es wolle, den größten Sieg aller Zeiten zu machen. Man darf über dem Staatsmann Churchill den Dämon Churchill nicht übersehen – über dem Dämon freilich auch nicht den Staatsmann. Daß sie beide in diesem Augenblick zugleich auf ihre höchste Höhe kamen – einem letzten Augenblick für England, das wirklich bereits in der tiefsten Bredouille war, einem letzten Augenblick aber auch für Churchill, der mit fünfundsechzig gerade noch einmal seine nachlassende Lebenskraft zur persönlichen Höchstleistung hochpeitschen konnte – das machte ihn zum Mann des Schicksals, und das Jahr vom Juni 1940 zum Juni 1941 für immer zum Weltjahr Churchills.

Was tat er aber wirklich in diesem Jahr, womit, ganz konkret gefragt, wendete er das Schicksal? Wie gesagt, sein Anteil an den englischen Abwehrsiegen von 1940 darf nicht überschätzt werden. Seine wirklichen Taten waren andere, unbesungene.

Entscheidend waren vier: Die Ausschaltung aller prominenten Politiker der Appeasement-Schule; der Staatsstreich – so muß man es tatsächlich nennen –, mit dem Churchill sich selbst zum Generalissimus machte; die rücksichtslos vorwärtsgetriebene industrielle Mobilisierung, die England in einem kurzen halben Jahr zu einer waffenstarrenden Festung machte – und zu einem bankrotten Land; und die Privatkorrespondenz mit Präsident Roosevelt, in der, unter

Ausschaltung aller Diplomaten, Außenminister und Parlamente, die englisch-amerikanische Allianz geschmiedet wurde.

Die Ausschaltung der Appeaser – und damit die vorbeugende Ausschaltung aller Kompromißfriedensmöglichkeiten – vollzog Churchill mit einer bei ihm ungewohnten politischen Meisterschaft und Eleganz. Ein Scherbengericht über die «schuldigen Männer», wie es von der Linken damals leidenschaftlich gefordert wurde, lehnte er ab; *wenn die Gegenwart über die Vergangenheit zu Gericht sitzen will, wird sie die Zukunft verlieren,* erklärte er großzügig. Er gab allen Prominenten der Appeasement-Periode – die ja immer noch die Elite der Konservativen Partei darstellten – hohe Ämter, die sie voll beschäftigten, aber zugleich auf harmlose Nebengleise abschoben. Der eine wurde Justizminister, der andere Erziehungsminister (mit dem Auftrag, eine gründliche Schulreform durchzuführen, was er auch mitten im Krieg gewissenhaft tat); ein anderer wurde als Botschafter nach Madrid geschickt, und der wichtigste von allen, Lord Halifax, immer noch Churchills Rivale, den er zunächst als Außenminister behalten mußte, verschwand dann doch Ende des Jahres als Botschafter nach Washington – mit außergewöhnlichen Ehren und unter nomineller Beibehaltung seines Sitzes im Kriegskabinett; aber weg war er. Chamberlain starb. Und kaum war er unter der Erde, als Churchill die wenig begeisterten Konservativen zwang, ihn nunmehr selbst zum Parteivorsitzenden zu wählen. Es blieb ihnen, wie die Dinge im Herbst 1940 lagen, nichts anderes übrig; und nun hatte Churchill die Partei, die ihn nie gemocht hatte und die als einzige auch jetzt noch seine Politik hätte zunichte machen können, in der Faust. Er ließ sie fünfzehn Jahre lang nicht mehr los.

Churchill ging fleißig ins Parlament, und das «Kriegskabinett», das er ganz konventionell aus den wichtigsten Politikern aller Parteien bildete, stellte er mit betonter Bescheidenheit immer wieder als höchste Instanz und Entscheidungskörperschaft heraus. Aber zugleich ernannte er, mit einem taktischen Geniestreich, sich selbst zum «Verteidigungsminister» – ein Amt, das es bis dahin nicht gab, und dessen Kompetenzen er nicht definierte. In Wahrheit machte er daraus das Amt eines Generalissimus. Er degradierte nicht nur die Kriegs-, Marine- und Luftfahrtminister zu bloßen Hilfs- und Verwaltungsbeamten. Er übernahm als Verteidigungsminister stillschweigend den Vorsitz über die Stabschefs aller Waffengattungen, machte sich also zum Obersten Kriegsherrn und Chef aller Generalstabschefs; und der Premierminister Churchill schirmte den Generalissimus Churchill gegen alle politischen Störungsversuche ab.

Als Premierminister regierte Churchill alles in allem mit leichter Hand; als Generalissimus mit eisernem Besen. Unter den englischen Militärs – man kennt seine Ansichten über *alte Knacker* und *Kommißköpfe* – räumte er rücksichtslos auf. Der Generalstabschef mußte sofort gehen, der Stabschef der Luftwaffe ein paar Monate später; und wieviel Generale Churchill im Laufe des Krieges verbrauchte, ist nicht zu zählen.

Der Generalissimus Churchill war nicht unfehlbar. Er machte den typischen Fehler aller Amateurstrategen (und letzten Endes war er, trotz seiner militärischen Jugend, ein Amateurstratege wie Stalin und wie Hitler), von seinen Streitkräften zuviel zu verlangen. Bei der Flotte und der Luftwaffe ging das: Immer wieder vor fast unerfüllbare Aufgaben gestellt, kämpften sie den ganzen Krieg hindurch mit stoischem professionellem Todesmut. Aber für die Wehrpflichtarmee von fast fünf Millionen war Churchill ein bedenklicher Kriegsherr; ständige Überforderung bekam ihrer Moral schlecht, in der Kriegsmitte gab es Episoden wie die fast kampflose Kapitulation von Singapur und Tobruk; es bedurfte der Spezialbegabung General Montgomerys – der in den letzten Kriegsjahren bei der Armee weit populärer wurde als Churchill –, die Kampfmoral der englischen Wehrpflichtarmee wieder gesundzupflegen und ihr schließlich doch noch einen achtbaren Endspurt abzugewinnen.

Aber ein großes Verdienst kann dem Generalissimus Churchill keiner nehmen. Er machte aus den drei Wehrmachtteilen, die im ganzen ersten Weltkrieg und auch noch im Anfang des zweiten alle ihr eifersüchtiges Eigenleben geführt hatten, eine funktionierende Einheit. Solche Fiaskos der Zusammenarbeit von Heer und Flotte wie die Dardanellen und Norwegen gab es unter ihm nicht mehr, und die gewaltigen, immer gesteigerten Organisationsleistungen der großen amphibischen Landungsoperationen – in Nordafrika, in Sizilien, in Italien und schließlich in der Normandie: Es war Churchill, der sie möglich machte. Es ist eine Leistung, die ihn, trotz mancher Husarenstreiche und militärischen Phantastereien, schließlich doch unter die großen Feldherren aller Zeiten einreiht.

Churchills dritte Tat war die fast überstürzt und mit äußerster Rücksichtslosigkeit vorangetriebene Totalmobilisierung. Ostern 1940 waren die Strandpromenaden Englands noch voller Flaneure und

die Straßen, die an die See führten, voller Autos gewesen, vor den Luxushotels hatten noch uniformierte Portiers gestanden, und in den Industriestädten gab es eine Million Arbeitslose. Von der Finanzpolitik des Kabinetts Chamberlain im ersten Kriegswinter sagten die Kritiker spöttelnd, sie scheine darauf abzuzielen, daß England nach verlorenem Krieg jedenfalls noch in der Lage bliebe, die Kriegsentschädigung zu zahlen. Damit war unter Churchill sofort und radikal Schluß. Seine erste Gesetzesvorlage, am 22. Mai einstimmig angenommen, stellte jede Person und jeden Besitz in England vorbehaltlos der Regierung zu Kriegszwecken zur Verfügung. Nach sechs Monaten gab es in England keinen Arbeitslosen mehr, auf den Strandpromenaden exerzierte die Armee, und in den requirierten Hotels saßen Kriegsbehörden. Die Fabriken produzierten vierundzwanzig Stunden am Tage Waffen und Kriegsmaterial, der Export kam fast zum Erliegen, und die letzten Devisenvorräte wurden für Waffenkäufe ausgegeben. Am Ende des Jahres 1940 war Englands Außenhandel bankrott und Englands Zahlungsbilanz ruiniert – genau das, was Chamberlain immer gefürchtet hatte und woran England heute noch laboriert. Aber dafür standen 29 fast voll bewaffnete Divisionen in dem Lande, das nach Dünkirchen fast waffenlos gewesen war, und in den Häfen und auf den Flugplätzen gab es mehr Kriegsschiffe und weit mehr Kampfflugzeuge als vor den verlustreichen See- und Luftschlachten des Jahres.

Und selbst aus dem Bankrott, den er sehenden Auges hingenommen hatte, wußte Churchill eine Kriegswaffe zu machen: Denn nun konnte Amerika sich nicht mehr herauswinden, es mußte umsonst weiterliefern und damit Englands Sache offen zu seiner machen – oder alles, was es bisher geliefert hatte, abschreiben, England untergehen lassen und Hitler zum Herrn des Atlantik machen. Mit der Waffe des englischen Bankrotts hatte Churchill Amerika endgültig in der Zange, nachdem er es schon mit dem brennenden London moralisch unter Druck gesetzt hatte.

Denn das war Churchills vierte und schwierigste Tat: die Einspinnung und Einspannung Amerikas in den englischen Krieg, die er unablässig, mit allen Mitteln von der glühendsten Werbung bis zur kältesten Erpressung, betrieb. Er tat das in einer nie abreißenden Privatkorrespondenz mit Präsident Roosevelt, an die er mindestens ebensoviel Sorgfalt wandte wie an die Ausarbeitung seiner großen Reden. Roosevelt war, aus seinen eigenen Gründen, ein Feind

Churchill besichtigt London nach einem Luftangriff

der europäischen Diktatoren und einem Kreuzzug in Europa nicht abgeneigt. Aber 1940 war Präsidentschaftswahljahr; er mußte sehr vorsichtig operieren. Die Stimmung seines Landes war alles andere als kriegerisch und interventionsfreudig. Auch war Amerika gänzlich ungerüstet. Und selbst wenn es zu rüsten anfing und sich auf einen künftigen Konflikt einstellte – lohnte es noch, Kriegskapital in das bankrotte britische Unternehmen hineinzustecken? War der englische Krieg nicht hoffnungslos verloren? Der damalige Botschafter in London, Kennedy (der Vater des späteren Präsidenten) schrieb das in seinen Berichten Tag für Tag nach Hause.

Hier hakte Churchill ein. Seine Aufgabe war schwierig, eigentlich unmöglich. Einerseits mußte er Roosevelt überzeugen, daß England keineswegs verloren war. Andererseits mußte er ihn aber auch wieder überzeugen, daß Hilfe dringend nötig war, wenn England nicht zusammenbrechen sollte. Einerseits mußte er Roosevelt darüber beruhigen, daß das britische Empire nie kapitulieren würde, selbst wenn *diese Insel* verlorenging; andererseits durfte er ihn nicht zu sehr in Sicherheit wiegen, daß, wie er es selbst ausdrückte, Amerika schlimmstenfalls zum *Erben des Empire minus England* werden könnte. Sein Hauptdruckmittel war, Roosevelt mit den Folgen einer eventuellen englischen Kapitulation die Hölle heiß zu machen (unter einer anderen Regierung: er, Churchill, würde nie kapitulieren, sondern lieber, wie er seinem Kabinett bei einer Gelegenheit erklärte, auf den Stufen von 10 Downing Street im eigenen Blut ersticken). Der Preis, mit dem ein Nachfolger des toten Churchill für ein besiegtes England milde Behandlung kaufen könnte, sei offensichtlich die englische Flotte. Und wenn Hitler zusätzlich zur französischen, italienischen und deutschen Flotte auch noch über die englische verfüge, werde er den Atlantik beherrschen, bis zur amerikanischen Ostküste: das wurde Churchill nicht müde, Roosevelt einzuschärfen. Und gleichzeitig der Druck auf das amerikanische Gewissen: Als Churchill in einem klassischen Satz den Sieg der britischen Jagdflieger in der Luftschlacht über England kommentierte: *In keinem Kriege sind jemals so viele so vieles so wenigen schuldig geworden*, da war das hauptsächlich an die Adresse Amerikas gerichtet.

Bis zum offenen Bankrott Englands brachte das alles nur quälend langsame, quälend geringe sichtbare Erfolge ein. England mußte erst bankrott machen, um die entscheidende Wende herbeizuführen: die offene Verpflichtung Amerikas, von nun an England Kriegsmaterial umsonst zu liefern, mit dem Trick der «Leihpacht», also der Fiktion, daß England amerikanische Waffen und amerikanische Munition nur «geliehen» nehme und nur «pachte».

Churchill mochte hoffen, daß ein so offener Neutralitätsbruch nunmehr Hitler selbst zur Kriegserklärung an Amerika reizen und ihn so aller Sorgen entheben würde; aber damit war es zunächst nichts: Hitler hatte sich inzwischen zum Krieg gegen Rußland entschlossen und ignorierte Amerikas feindselige Akte einstweilen. Das ganze Jahr 1941 ging so noch dahin, obwohl Roosevelt, inzwischen auf vier Jahre wiedergewählt, es an Nadelstichen gegen Hitler nicht fehlen ließ und sich Schritt für Schritt näher an die offene Kriegsteilnahme heranschob.

Unmöglich, hier allen Wendungen, Hoffnungen und Enttäuschungen dieser langen und heiklen Geschichte zu folgen. Die letzte, fast unerträgliche Spannung erreichte sie im Spätherbst 1941, als deutlich wurde, daß nunmehr auch Japan zum Angriff antrat. «Wenn im Westen der Sturmwind weht, fallen im Osten die Blätter», hatte der japanische Außenminister blumig erklärt, und Japan machte sich daran, die fallenden Blätter einzusammeln. Aber welche Blätter? Wie, wenn es nur die britischen, französischen und holländischen Besitzungen in Fernost einsammelte und

Franklin Delano Roosevelt

Amerika weislich ungeschoren ließ? Würde Amerika das als Kriegsfall betrachten? Roosevelt schwieg; er war nicht sicher, ob er es wagen konnte. Und selbst wenn Japan gleich auch Amerika angriff – würde Amerika dann nicht alle seine Energien auf Japan konzentrieren und Englands europäischen Krieg darüber vergessen? Folternde Fragen, auf die es keine Antwort gab. Fiel die Antwort falsch aus, dann war alles, was Churchill, in wachsendem Einvernehmen mit Roosevelt, mit so harter Geduld angelegt und vorbereitet hatte, umsonst gewesen, dann war seinem ganzen Kriegsplan der Boden unter den Füßen weggezogen. Und er selbst konnte nichts mehr dazu tun – nicht das Geringste. Er war wieder einmal in der Hand des blinden Schicksals. Aber hatte sich nicht das Schicksal, so oft es ihn gefoppt und genarrt hatte, schließlich doch als sein treuer Gott erwiesen? Oder war ihm zuzutrauen, daß es ihn noch einmal und noch grausamer zum Narren halten werde?

Pearl Harbor und Hitlers Kriegserklärung an Amerika erlösten Churchill von der Folter dieser Wochen. Es war eine Befreiung und Erleichterung ohnegleichen, eine Bergeslast vom Herzen. Während England unter den neuen Hiobsnachrichten aus Ostasien aufstöhnte, war Churchill in diesen Tagen wie ein Mann, der sich längst daran gewöhnt hat, unter einem suspendierten Todesurteil zu leben und plötzlich erfährt, daß er freigesprochen ist. Pearl Harbor war die halbe Erlösung gewesen; Hitlers Kriegserklärung an Amerika war die ganze.

Es gibt mehrere Berichte, die Churchills Reaktionen auf diese Nachricht schildern; alle geben das Bild eines wahren Deichbruchs, eines ungeheuren, bis zum Übermut frohlockenden Ausspannens, das den grimmigen, gewaltigen Alten plötzlich noch einmal zum Knaben machte. *Jetzt haben wir's geschafft!* rief er einmal übers andere. *Jetzt haben wir den Krieg gewonnen*, und *Also doch!* Es wird nirgends geradezu berichtet, aber alle Schilderungen hinterlassen den Eindruck, daß sich Winston Churchill an diesem Abend betrank.

Für Churchill persönlich zerfiel der Krieg in drei klar abgesetzte Perioden. Die erste dauerte von Mai 1940 bis Dezember 1941. Da drohte ihm Gefahr – tödliche, unmittelbare Lebensgefahr allerdings – nur vom Feind, von Hitler. Diese Gefahrenperiode bestand Churchill glorreich.

Nach dem Dezember 1941 war Hitler nicht mehr ernsthaft gefährlich. Von Dezember 1941 bis November 1942 – einer Zwischenperiode, in der kein Untergang mehr drohte, aber auch noch kein Sieg in Sicht schien – kam die Gefahr für Churchill von der politischen Heimatfront. Es gab plötzlich wieder Kritik und Opposition und Kräfte, die ihn stürzen wollten. Er wurde damit fertig, und von Ende 1942 bis Kriegsende hatte er zu Hause Ruhe – wenn auch, wie sich zeigen sollte, eine trügerische Ruhe.

In dieser dritten Periode aber wurden seine Verbündeten seine wahren Gegner: Stalin und seit Ende 1943 auch Roosevelt. Und gegen sie verlor Churchill. Der Endsieg über den schon uninteressant gewordenen Hitler, im Mai 1945, schmeckte ihm bitter: Er besiegelte zugleich seine Niederlage gegen Stalin und Roosevelt.

Und dann, während er noch verzweifelt nach Wegen suchte, auch dieser Niederlage einen Sieg zu entreißen – denn er gab nie auf –, stellte sich auch der Sieg von 1942 an der Heimatfront als Pyrrhussieg heraus. Im Juli 1945 wurde er abgewählt und entmachtet.

Was war es, das während des Jahres 1942 die Heimatfront plötzlich wieder gefährlich für Churchill machte? Oberflächlich (aber deswegen noch nicht falsch) gesehen einfach dies, daß 1942 ein Jahr schwerer militärischer Niederlagen für England war.

Die Jahre 1940 und 1941 hatten, bei tödlicher Dauergefahr, viele achtbare Abwehrerfolge gebracht (daß zwischendurch einmal ein Vorprellen wie die griechische Expedition gescheitert war, ließ sich hinnehmen). Von Ende 1942 an gab es dann fast nur noch Siege. Aber dazwischen, 1942, ging ein Jahr lang einfach alles schief. Die Japaner überrannten Malaya und Burma und bedrohten Indien. Rommel besiegte die Nilarmee und drang tief nach Ägypten vor. Die «uneinnehmbare» Festung Singapur kapitulierte kläglich mit über 100 000 Mann. Tobruk, das Wüstenfort, das im Jahr zuvor viele Monate isoliert ausgehalten hatte, fiel auf Anhieb an einem Tag. Die überforderte Flotte wurde erbarmungslos dezimiert – im Pazifik, im

Sir Stafford Cripps

Indischen Ozean, im Mittelmeer und auf den Eismeerkonvois nach Rußland. Die Handelsschiffsverluste durch U-Boote nahmen überhand. Ein Invasionsexperiment bei Dieppe brachte niederschmetternde Resultate. Indien kündigte den Gehorsam auf, und zum letztenmal wanderten Gandhi und Nehru in englische Gefängnisse.

Alte Erinnerungen wurden wieder wach – an den Reaktionär Churchill, der vor Hitlers Zeit eigentlich immer unrecht gehabt hatte. Aber am meisten verübelte man Churchill eben doch die plötzlich wie ein Dauerregen herniederprasselnden Niederlagen im Feld und zur See. Schließlich hatte man ihn engagiert, weil er vom Krieg etwas verstand; offenbar verstand er doch nicht so viel davon, wie er glaubte. Die Dinge wurden ja immer schlimmer statt besser!

Im Juli gab es einen Mißtrauensantrag im Parlament. Er wurde niedergestimmt, aber die Vertrauenskrise schwelte weiter. Im September drohte eine Kabinettskrise, und sogar ein Gegenkandidat war nun plötzlich da: Sir Stafford Cripps – ein Außenseiter der Linken, wie Churchill einer der Rechten gewesen war. Im Frieden hätte Cripps nie eine Chance gehabt, Premierminister zu werden, aber im Krieg und unter einer Allparteienkoalition war alles möglich. Und Cripps war Churchills Gegenbild, das plötzlich in genau dem Maße faszinierte, wie die Enttäuschung über Churchill um sich griff: ein Asket von kaltfunkelnder Intelligenz, eine Robespierre-Mischung aus Puritanismus und Radikalismus, ohne Zweifel ein großer Mann in seiner dünnlippigen, messerscharfen Art, wäre da nicht irgendwo auch ein Zug von vegetarischer Fadheit gewesen.

Im September erklärte Cripps seinen Rücktritt aus dem Kabinett, und zwar auf eine Art, mit der er sich deutlich zu Churchills Gegenkandidaten aufwarf. Es gelang Churchill, ihm einen Aufschub bis zu den bevorstehenden großen Operationen in Nordafrika abzuringen. Diese Operationen brachten die Kriegswende, und Churchill war gerettet und Cripps gescheitert. Churchill degradierte ihn zum Luftrüstungsminister, und Cripps wurde ihm nie wieder gefährlich.

Solche Episoden sind enthüllend, und ihr Ergebnis hat eine gewisse automatische Gerechtigkeit: Wäre Cripps der Robespierre gewesen, als der er vielen erschien, er hätte den Aufschub nicht gewährt; er hätte das Duell im Augenblick von Churchills größter Schwäche hart durchgefochten, und es ist nicht auszuschließen, daß Churchill dann im Oktober 1942 gestürzt wäre wie Asquith im Dezember 1916 und daß Cripps der Lloyd George des Zweiten Weltkriegs geworden wäre.

Wäre das – außer für Churchill – ein Unglück gewesen? Cripps war kein Generalissimus und kein Kriegsheld wie Churchill, er war ein reiner Politiker. Aber die Grundlagen des militärischen Endsiegs waren im Herbst 1942 gelegt (trotz aller Niederlagen des Jahres, die das Land so schockierten und die Churchill, mit weiterem strategischem Überblick, als die Episoden sah, die sie waren); und der Politiker Cripps hätte vielleicht besser in die Landschaft der zweiten Kriegshälfte gepaßt als Churchill.

Es waren, unter der Oberfläche bloßer Unruhe über die militärischen Niederlagen des Jahres 1942, eben doch auch tiefere, vorläufig unartikulierte Besorgnisse über Churchills Gesamtpolitik, die die Krise von 1942 verursacht hatten; ein Gefühl hatte sich ausgebreitet, daß er unter der Hand ein allzu hohes, allzu gewagtes Spiel spielte, und dieses Gefühl war berechtigter als die vorübergehende Enttäuschung über seine militärische Kriegführung. Es wurde durch die Siege der folgenden zweieinhalb Jahre zusammen mit dieser Enttäuschung wieder zum Verstummen gebracht, aber es blieb unterirdisch lebendig, und im Juli 1945 entlud es sich in der plötzlichen Explosion, die Churchill wegfegte.

In der großen Allianz, die Churchill und Hitler in dem beinah mystischen Zusammenwirken, das ihre Beziehung von Anfang bis Ende kennzeichnet, 1941 zustande gebracht hatten, war England unzweifelhaft der kleinste und schwächste Partner. Seine natürliche Politik wäre nun gewesen, sich, so lange wie nötig, als Bindeglied nützlich zu machen, seine Kräfte möglichst zu schonen und im übrigen, wenn die Zeit dafür herankam, dafür zu sorgen, daß der unvermeidliche Sieg seiner übergroßen Verbündeten nicht gar zu vollständig wurde und daß die besiegten Mächte als Faktoren im Weltgleichgewicht irgendwie erhalten blieben.

Churchill sah das alles wahrscheinlich auch. Aber er sah auch eine glorreichere Möglichkeit. Er glaubte, einen Weg zu sehen, wie England, obwohl der kleinste Partner, die große Koalition beherrschen und lenken könnte – er traute sich zu, sozusagen mit dem Schwanz den Hund zu wedeln. Er wollte den Sieg nicht unvollständig bleiben lassen oder gar absichtlich verstümmeln, er wollte nicht gleichzeitig mit Marlborough dessen Gegenspieler Bolingbroke verkörpern, der hinter dem Rücken des damaligen Generalissimus mit Ludwig XIV. einen nützlichen, wenn auch etwas schäbigen Sonderfrieden vorbereitet hatte; das ging ihm gegen die Natur. Aber er wollte nicht nur Hitler vernichten, sondern in einem Zug damit Stalin ausschalten und Roosevelt einspannen – so fest einspannen, daß Amerika sich nie mehr von England trennen konnte.

Dazu brauchte er einen Kriegsverlauf, der Rußland aus Europa physisch heraushielt; und dazu mußte Osteuropa, nicht Westeuropa, zum Ziel der anglo-amerikanischen Großoffensive gemacht werden. Derselbe Stoß, der Deutschlands Macht brach, sollte zwischen Rußland und Europa einen stählernen Riegel schieben. Das aber hieß: Er mußte nicht von Westen, sondern von Süden geführt werden, nicht von der Basis England, sondern von der Basis Nordafrika, nicht über den Kanal, sondern über das Mittelmeer, nicht mit Stoßrichtung Paris–Köln–Ruhr, sondern mit Stoßrichtung Triest–Wien–Prag – und dann weiter nach Berlin oder gar nach Warschau.

Wenn das gelang, würden am Ende des Krieges die vereinigten Armeen Englands und Amerikas allein in Europa stehen und allein Europa beherrschen. Rußland würde nicht über seine Grenzen hinauskommen. Frankreich würde nicht wieder Kriegsschauplatz werden, es würde unberührt und unversehrt wieder auftauchen – befreit und ein wenig beschämt. Und in der englisch-amerikanischen Kombination, die nun dem befreiten und besetzten Europa sein neues Gesicht geben würde, traute Churchill sich zu, tonangebend zu bleiben.

Eine blendende Vision. Aber wie sie verwirklichen? Wie diese Strategie durchsetzen? Ihr politisches Ziel konnte Churchill nie offen darlegen: Rußland gegenüber schon gar nicht, aber auch Amerika gegenüber nicht. Und die strategischen Gründe sprachen alle dagegen: Natürlich bedeutete es Zeitverlust und Schwächung, den riesigen Umweg über Nordafrika zu machen statt den direkten Weg über Frankreich zu nehmen: Jeder Kriegsschüler konnte das sehen, und die amerikanischen Militärs, mit Marshall und Eisenhower an der Spitze, wurden nie müde, es händeringend klarzumachen.

Aber Churchill hatte e i n e n Trumpf: Amerika war hinter England zwei Jahre zurück, in der Kriegführung sowohl wie in der Kriegsvorbereitung. Wenn es nicht tatenlos warten wollte, bis es in zwei oder drei Jahren seinen eigenen Krieg führen konnte – und Amerika ist ein ungeduldiges Land –, dann blieb ihm nichts übrig, als Englands Krieg zunächst einmal so, wie er lag und stand, zu übernehmen und sich mit seinen zunächst noch geringen, erst allmählich wachsenden Kräften England verstärkend anzuschließen. Und England war bereits engagiert – in Nordafrika.

Weder Roosevelt noch Stalin hatten ein Interesse daran, Churchills Südstrategie und ihren politischen Hintergedanken zu unterstützen – Stalin hatte sogar jedes Interesse, sie zu hintertreiben, und er tat sein Äußerstes dazu. Und doch setzte Churchill diese Strategie zunächst durch. Und zwar tat er das im Sommer 1942, während ihm an allen Fronten die Schläge um die Ohren prasselten und während ihm zu Hause der Boden unter den Füßen wankte.

Der Churchill von 1942 war nicht mehr der Mann des Schicksals; das überkühne Spiel, das er damals begann, ging schließlich verloren, und der Augenblick, in dem er wirklich Weltgeschichte gemacht hatte, war, ohne daß er es wußte, schon vorbei. Aber wer Churchill auf der Gipfelhöhe seiner persönlichen Kraft und Pracht bewundern will, der tut gut daran, auf den Churchill von 1942 zu blicken. In diesem Sommer schien er zwanzig Hände zu haben. Er wehrte sich seiner Haut im Parlament, neutralisierte Cripps, plante Feldzüge mit seinen Stabschefs, wurde mit amerikanischen Abgesandten fertig, flog nach Ägypten und setzt Generale ab und ein, flog nach Washington und bekniete Roosevelt, flog nach Moskau und boxte sich bei Stalin durch. Nie glich er so sehr der Bulldogge, die faßt und nicht losläßt und ihre Zähne immer tiefer eingräbt, je mehr man auf sie einschlägt. Und am Ende des Jahres hatte er es zunächst einmal geschafft, er hatte alle, wo er sie haben wollte: Hitler und Stalin im tiefsten Rußland ineinander verbissen, Rommel geschlagen und das Mittelmeer geöffnet, Amerika an der Seite Englands in Nordafrika aufmarschiert. Alles war bereit zum Sprung über das Mittelmeer

Kriegsrat in Algier, Juni 1943: Die Invasion in Sizilien wird vorbereitet. Um Churchill gruppiert, von links nach rechts: Außenminister Eden, Generalstabschef Brooke, Luftmarschall Tedder, Admiral Cunningham, General Alexander, US-Generalstabschef Marshall, US-General Eisenhower, General Montgomery

im nächsten Jahr. Inzwischen begannen die Luftflotten auf Deutschland einzuhämmern. Churchill an der Jahreswende 1942/43 schien die Welt in seiner Faust zu halten.

Ein Jahr später lag seine Strategie – und damit seine Politik – in Trümmern. Er hatte darauf gebaut, daß es im Krieg fast unmöglich ist, einen strategischen Ansatz rückgängig zu machen: daß der Zug auf den Gleisen weiterfahren muß, auf die er einmal gesetzt ist. Er hatte den Amerikanern, während er sie auf die Mittelmeerstrategie mit Taten festlegte, die Westinvasion mit Worten immer zugestanden: irgendwann einmal, später, zu guter Letzt. Er hatte nicht damit gerechnet, beim Wort genommen zu werden. Er hatte es nicht für möglich gehalten, daß die Amerikaner es über sich bringen würden, die gewaltige Mittelmeerkampagne, in die er sie hineinmanövriert hatte und in die sie zunächst einmal wohl oder übel alles gesteckt hatten, was zur Hand war, brutal abzubrechen, sie als nutzlosen Torso stehen zu lassen, alles umzudirigieren, sechs Monate Zeitverlust in Kauf zu nehmen und noch einmal mit einem ganz anderen Ansatz ganz von vorn anzufangen. Aber genau das taten sie.

Der Hund bekam es satt, vom Schwanz gewedelt zu werden. Ende 1943, nach zwei Jahren Rüstung und Mobilisierung, war Amerika so weit, daß es seinen eigenen Krieg führen konnte. Und dazu war es jetzt entschlossen. Es war nicht mehr darauf angewiesen, Eng-

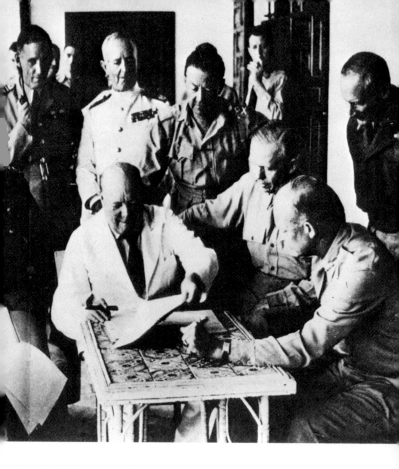

land Hilfsdienste zu leisten. Auf der Gipfelkonferenz in Teheran, Ende November 1943, verbündete sich Roosevelt mit Stalin gegen Churchill. Und Churchill blieb nichts übrig, als zähneknirschend nachzugeben und sein strategisch-politisches Werk vom vorigen Jahr der Spitzhacke preiszugeben.

In Teheran wurde das beschlossen, was dann im Sommer 1944 in die Tat umgesetzt wurde und was die Nachkriegsgeschichte Europas geprägt hat: Die Liquidierung der Churchillschen Südstrategie und ihr Ersatz durch die Invasion Frankreichs. Das war nicht nur eine strategische, sondern eine hochpolitische Entscheidung: Es bedeutete, daß Rußland nicht von Europa abgeriegelt wurde, sondern daß sich West und Ost in der Mitte Europas begegnen würden. Churchills

Die Konferenz von Teheran

Vision eines Europa nach seinem Bilde – eines unter anglo-amerikanischen Auspizien restaurierten konservativen Europa – wurde damit zur Utopie. Nachkriegseuropa würde entweder ein «linkes», «demokratisches», mehr oder weniger sozialistisches Europa sein – oder ein geteiltes.

Das alles war den Teilnehmern der Teheran-Konferenz zweifellos klar, aber ausgesprochen wurde es nicht. Man argumentierte mit ausschließlich strategischen Argumenten; und auf diesem Gebiet war Churchills Position im Laufe des Jahres 1943 tatsächlich sehr schwach geworden.

Churchill hatte mit aller Welt zwei Fehleinschätzungen geteilt: die Überschätzung der Luftmacht und die Unterschätzung Rußlands. Er glaubte, daß die große Bombenoffensive, die 1943 eingesetzt hatte, Deutschlands Heimatfront zermürben und kapitulationsreif machen würde, und er glaubte, daß Rußland, trotz seiner wiederholten Wintererfolge, sich nur eben gerade am Leben halten und in den Sommerfeldzügen weiterhin alle Hände voll zu tun haben würde,

Leningrad, Moskau und Stalingrad zu verteidigen. Die deutsche Armee immer noch tief in Rußland, und Deutschland selbst in Chaos und Auflösung: auf diese Lage war seine Strategie zugeschnitten. In dieser Lage würden die Mittelmeerländer den landenden Westalliierten aufatmend in die Arme fallen (was Italien ja im Sommer 1943 auch tatsächlich versucht hatte), und die Briten und Amerikaner würden eines Tages plötzlich siegreich im unverteidigten Sachsen und Schlesien stehen: so war es gedacht gewesen. Aber so war es ja bekanntlich nicht gekommen.

Tatsächlich erwies sich der Bombenterror in Deutschland als ebenso stumpfe Waffe wie vorher in England. Die deutsche Heimatfront stand, und die deutsche Kriegsproduktion lief weiter auf vollen Touren. Dagegen war die Kampfkraft und Kampfmoral der deutschen Ostarmee nach Stalingrad nicht mehr, was sie vorher gewesen war: Die Russen waren jetzt materiell und moralisch die Stärkeren, und während des ganzen Jahres 1943 trieben sie die Deutschen vor sich her; schon standen sie fast an den Grenzen Rumäniens und Polens. Die westlichen Mittelmeerarmeen aber saßen immer noch vor Cassino fest, weit südlich von Rom. Wenn es so weiterging wie 1943, würden die Russen in Warschau, in Berlin und möglicherweise am Rhein sein, während die Westalliierten sich immer noch südlich der Alpen herumquälten. Unter solchen Umständen war Churchill in der strategischen Debatte, die in Teheran geführt wurde, praktisch ohne Argumente.

Hätte er dann die Debatte mit Roosevelt – mit Stalin war es natürlich undenkbar – p o l i t i s c h führen sollen? Hätte er mit offenen Karten spielen und die russische Gefahr an die Wand malen sollen? Es ist zweifelhaft, ob er damit erfolgreich gewesen wäre. Ganz abgesehen davon, daß es ja jetzt reichlich spät dafür geworden war, Rußland aus Europa militärisch auszusperren, und daß sich

durchaus argumentieren ließ, Europa mit Rußland zu teilen, sei nun schon die einzige Alternative dazu, es ihm ganz zu überlassen: Roosevelt glaubte ja nun einmal an die Möglichkeit amerikanisch-russischen Zusammenwirkens in einem «linken» Europa – und steht übrigens mit diesem Glauben nach zwanzig Jahren nicht mehr so lächerlich da, wie er nach fünf Jahren dazustehen schien. Er hätte sich von dem konservativen Romantiker Churchill schwerlich davon abbringen lassen.

Es war aber auch Churchill nicht gegeben, so etwas zu versuchen. Bei aller gewaltigen Beredsamkeit fehlte Churchill sein Leben lang die Gabe, in der Lloyd Georges größte Stärke gelegen hatte: die Gabe der verführenden Überredung, des «Herumkriegens» – die eine Fähigkeit und Lust dazu voraussetzt, sich in den andern hineinzufühlen, in ihn hineinzuschlüpfen. Lloyd George, nicht zufällig auch ein großer Frauenheld, hatte diese Fähigkeit in ungewöhnlichem Maße. Churchill, der Krieger und der Egozentriker, hatte sie nicht – und richtete sein Verhalten instinktiv danach, daß er sie nicht hatte. Anders als Lloyd George oder auch Bismarck, die beide im Krieg Politik an der Strategie vorbei und über die Köpfe der Strategen hinweg gemacht hatten und mit der Heerführung dauernd im Streit gelegen hatten, machte Churchill instinktiv Politik d u r c h Strategie – er zog es vor, selbst als Generalissimus zu handeln und seine politischen Argumente mit Flotten- und Truppenbewegungen zu liefern. Das war sein angeborener Stil, er konnte nicht anders (und deswegen verstehen diejenigen ihn falsch, die seine Gedanken an seinen Worten statt an seinen Taten ablesen wollen). Drei Jahre lang hatte er mit dem strategischen Instrument erfolgreich Politik größten Maßstabs getrieben. Aber jetzt ließ ihn dieses Instrument im Stich, und damit war er im buchstäblichen Sinne wehrlos geworden.

Teheran war für Churchill der Wendepunkt des Krieges; und darüber hinaus eine Lebenswende. Mitten in die Konferenz fiel sein 69. Geburtstag. Bis dahin hatte man ihm die ungeheuerliche physische und seelische Anspannung, die der Krieg ihm in einer so späten Lebensphase abverlangte, kaum angemerkt. Sein Gesicht war immer noch ein rosiges Babygesicht – freilich jetzt mit einem grimmigen Zug, das Kinn vorwärtsgereckt; seine Arbeits- und Konzen-

Nach einem Luftangriff in Hamburg

trationsfähigkeit, auch seine Selbstbeherrschung, Entschlußkraft und Ausdauer grenzten immer noch ans Wunderbare. Plötzlich, noch während der Konferenz, wurde er zum alternden, beinah, stundenweise, zum alten Mann – langatmig, unkonzentriert, fahrig. In Konferenzpausen sprach er in düsterem Ton von einem zukünftigen Krieg, den man sich jetzt einbrockte – dem Krieg mit Rußland. *Das wird ein noch schrecklicherer Krieg werden als dieser. Aber ich werde nicht mehr da sein. Ich werde schlafen. Millionen Jahre werde ich schlafen.* Das klang nicht staatsmännisch, es klang vielleicht seherisch – auf eine etwas greisenhafte Art.

Zwischenein ermannte er sich und spielte den guten Verlierer – um dann gleich wieder, mit allzu durchschaubarer List, den Siegern etwas abzuhandeln. Gut also, die Westinvasion war beschlossen, er stand bei seinem Wort, sie würde stattfinden, bis zum 1. Mai – oder wenigstens «in der Maiperiode». Aber sollte man das halbe Jahr bis dahin nichtstuend verschwenden? Wie, wenn es ihm gelänge, die Türkei zum Kriegseintritt zu veranlassen? Warum nicht erst noch eine Balkankampagne – als Zwischenspiel, um die Zeit auszufüllen? Roosevelt und Stalin tauschten vielsagende Blicke. Sie ließen dem alten Winston gnädig sein Steckenpferd. Mochte er versuchen, die Türkei in den Krieg zu ziehen. Sie verließen sich darauf, daß die vorsichtigen Türken sich nicht ziehen lassen würden, und sie behielten recht.

Auf der Rückreise von Teheran brach Churchill in Karthago, wo er mit Eisenhower konferieren wollte, mit einer schweren Lungenentzündung zusammen – eine seelisch verursachte Krankheit, wenn es je eine gab. Ein paar Tage schwebte er zwischen Tod und Leben. Mit starken Antibiotika über die Krise gebracht, begann er sofort ein neues «Zwischenspiel» zu arrangieren: eine Landung bei Rom, die die festgefrorene italienische Front in Bewegung bringen sollte. Würden die Amerikaner wirklich das Herz haben, diese Front abzubauen, wenn sie gerade wieder im vollen Vormarsch war? Aber die Landung bei Anzio blieb stecken, und ein tiefgebeugter Churchill kehrte im Spätwinter 1944 nach London zurück.

Von Teheran an kommt in Churchills Verhalten etwas Unzusammenhängendes, Unberechenbares, etwas wie «Von-der-Hand-in-den-Mund». Er war immer noch, oder immer wieder, voller Energie und voller Einfälle, immer noch tatkräftig und wortgewaltig, immer noch großer Entschlüsse und großer Taten fähig; aber die Entschlüsse

bekamen jetzt etwas Plötzliches und die Taten etwas Improvisiertes. Es stand keine große Gesamtkonzeption mehr hinter ihnen; die war ihm zerschlagen worden. Und auch der Mann war nach diesem Schlag nicht mehr ganz der, der er in den drei Jahren zuvor gewesen war: Derselbe, gewiß, aber etwas verzerrt und entstellt, reizbarer, unbeherrschter, älter und böser.

Er war immer herrisch gewesen – aber immer eben ein Herr, nicht ohne Würde auch im Zorn. Der Churchill von 1944 und 1945 war unwürdiger Wutausbrüche fähig, er ließ sich gehen, er zeigte – immer noch unterbrochen von noblen Gesten und großen Augenblicken – eine zänkische und zeternde Seite, die man nicht an ihm gekannt hatte.

Auch die für Churchills Altersstil charakteristische Neigung zur lässigen Inkonsequenz, zu Gesten und Taten, die einander widersprechen und einander aufheben, beginnt in dieser Zeit hervorzutreten. Er war immer fähig gewesen, viel Widersprüchliches gleichzeitig zu denken und zu fühlen; gerade das hatte seinem Geist die Spannung und Fülle gegeben, das knisternd Lebendige, Wandlungsfähige und Unberechenbare, das ihn immer auszeichnete. Nur war bis jetzt auch die innere Entscheidungskraft dagewesen, die schließlich doch immer Ordnung und Klarheit schaffte, zusammenfaßte oder ausschaltete. Diese Fähigkeit ließ nach. Die Reden und auch die Taten des alten Churchill haben etwas Fragmentarisches, Nicht-zu-Ende-Gedachtes; gigantische Ansätze, die plötzlich abbrechen. Das alles beginnt 1944.

Zunächst kniete er sich mit Feuereifer in die militärische Vorbereitung der großen Invasion, die er nicht gewollt hatte. Es war etwas wie Selbstbetäubung: Wenn der Politiker gescheitert war, wollte wenigstens der Stratege zu seinem Recht kommen. Der Generalissimus Churchill war nie rastloser, nie tätiger – beinah möchte man sagen: nie glücklicher gewesen. Im ersten Halbjahr 1944 steckte er bis über die Ohren in Invasionsvorbereitungen, nahm sich aller Details an, und er war nur mit größter Mühe davon abzuhalten, selbst mit den vordersten Truppen in Frankreich zu landen (der König mußte ihm schließlich drohen, wenn Churchill darauf bestände, würde auch er mitgehen). Er klammerte sich an den Sieg – dessen Gefangener er geworden war. Es blieb ihm nichts anderes übrig.

Wäre vielleicht doch etwas anderes übriggeblieben? In früheren Bündniskriegen hatte England sich nicht gescheut, im Stadium des

Churchill und Eisenhower zur Zeit der Invasion in Frankreich, 1944

Mit General de Gaulle in Paris

Sieges den Feind wieder ins politische Spiel zu bringen, sei es direkt, wie im Krieg gegen Ludwig XIV., sei es indirekt, wie im Krieg gegen Napoleon, als die englische Diplomatie Fäden zu Talleyrand und den Bourbonen spann. Verhandlungen mit Hitler waren nun freilich undenkbar geworden; der Mann, der ganz Europa mit Menschenschlachthäusern übersät hatte, war nicht mehr verhandlungsfähig, ganz abgesehen davon, daß er auch gar nicht verhandlungswillig war. Aber die deutsche Opposition, die gerade jetzt das späte und verzweifelte Lebenszeichen des 20. Juli gab – wäre die nicht für Churchill der natürliche, der beinah rettende Verhandlungspartner gewesen? Wollte sie nicht im Grunde dasselbe, was Churchill wollte – und was Stalin und auch Roosevelt definitiv n i c h t wollten: die Restauration eines konservativen Europa?

Im Rückblick mag man hier den Eindruck einer versäumten Gelegenheit haben; aber in Wirklichkeit bestand die Gelegenheit nie. Nicht nur, daß die deutsche Opposition sich im ersten Kriegswinter, als Chamberlain wirklich Kontakte mit ihr unterhalten hatte, schwach, unentschlossen und unzuverlässig gezeigt hatte; nicht nur, daß der mißlungene, echolose Putsch vom 20. Juli auch jetzt keinen ermutigenden Eindruck machte: Churchill selbst war nicht der Mann, den Sieg – den immerhin nun fast sicheren Totalsieg – durch so gewagte Transaktionen zu gefährden oder zu verkümmern. Er war eben doch zuerst ein Krieger und dann erst ein Politiker. Er wollte den Sieg, und er wollte ihn so, daß er zugleich der Sieg seiner politischen Konzeption war. Aber wenn das unmöglich wurde, dann jedenfalls und unter allen Umständen zunächst einmal den Sieg. Großmut im Siege, ja. Versöhnung nach dem Siege, ja. Aber auf den Sieg verzichten? Nein und tausendmal Nein. Er war und blieb der Enkel Marlboroughs. Dessen Gegenspieler Bolingbroke, der ihm den Sieg verpatzt hatte, um einen für England günstigeren Frieden zu gewinnen, hatte er nicht einmal literarisch verziehen.

Er bekam seinen Sieg, und man kann nicht sagen, daß er ihn nicht genoß. Es gab große und wundervolle Augenblicke, wie das Wiedersehen mit dem befreiten Paris. Aber er war und blieb auch der Gefangene seines Sieges, und er scheuerte sich wund an ihm wie ein Löwe an den Stäben seines Käfigs. Die Politik Churchills in den letzten neun Kriegsmonaten ist eine Folge von Improvisationen, ein rastloses Hin und Her. Im August 1944 flog er nach Italien, mit verzweifelten (und nicht ganz zu Ende durchdachten) Plänen, den Durchbruch nach Triest und Wien doch noch irgendwie möglich zu machen. Umsonst, die italienische Front war zu erbarmungslos zugunsten der französischen geschwächt und geplündert worden. Dann kam ihm eine plötzliche Idee: Was Roosevelt konnte – der direkte, harte Handel mit Stalin von Macht zu Macht –, sollte er das nicht auch können? Im Oktober flog er nach Moskau und führte harte, zynische Geschäfte mit Stalin: Rumänien für dich, Griechenland für mich; und Polen nach Westen verschieben – wie, das ließ sich mit

Winston Churchill gibt am 8. Mai 1945 der Welt durch Rundfunk bekannt, daß der Krieg gegen Deutschland gewonnen ist

drei Streichhölzern demonstrieren. Was folgte, war sein häßlichster Augenblick, mit Szenen, die man lieber vergäße: den polnischen Ministerpräsidenten Mikołajczyk, der sich nicht verhökern lassen wollte, bedrohte er buchstäblich mit der Faust; und als das befreite Athen sich gegen die von seinen englischen Befreiern eingesetzte konservative Regierung erhob, befahl er, es *wie eine eroberte Stadt zu behandeln.* Stalin sah kommentarlos zu, und Churchill sagte im Unterhaus, nie habe eine Regierung treuer zu ihrem Wort gestanden als die russische Sowjetregierung. Aber als sich im Frühjahr 1945 unerwartet für die westlichen Armeen eine Möglichkeit bot, doch noch als erste in Berlin und an der Oder anzukommen, tat er sein Äußerstes, Eisenhower und Truman zur Wahrnehmung dieser unverhofften Chance – die nicht ganz im Einklang mit vorherigen Dreimächteabkommen über die deutschen Besatzungszonen stand – zu überreden; und auch der Rückzug aus Sachsen, Thüringen und Mecklenburg auf die vereinbarte Demarkationslinie hätte nie stattgefunden, wenn es nach ihm gegangen wäre. Rußland war wieder der Feind geworden.

Erwog er im Frühsommer 1945 ernsthaft eine Fortsetzung des Krieges gegen Rußland? Man hat es ihm zugetraut, und auch er selbst muß sich, mindestens nachträglich, solche Erwägungen zugetraut haben. Jedenfalls behauptete er später, er habe im Mai 1945 Befehl gegeben, die erbeuteten deutschen Waffen gut zu sammeln und zu pflegen, damit man sie notfalls den deutschen Gefangenen schnell wieder in die Hand geben könne. Das Telegramm wurde gesucht und nicht gefunden; wahrscheinlich ist es nie abgeschickt worden. Aber im Kopf muß Churchill einen solchen Befehl wohl gehabt haben; sonst hätte ihm seine Erinnerung kaum vorgespiegelt, er hätte ihn sogar gegeben.

Sicher ist, daß er im Sommer 1945 wieder hart gegen Rußland Stellung bezog, und sicher ist auch, daß er damit jetzt wieder mit mächtig aufkommenden Strömungen in Amerika im Einklang war. Roosevelt war tot. Aber gleichzeitig war Amerika, kaum hatte Deutschland kapituliert, bereits in voller Demobilisierung. Was sich vorbereitete, war kein Krieg, sondern unfruchtbares Gezänk – das, was man später den Kalten Krieg getauft hat.

Churchill hatte keine Gelegenheit mehr, aktiv daran teilzunehmen. Noch im Mai 1945 war die englische Koalition auseinandergegangen. Im Juli wurde gewählt. Die Konservativen, mit Churchill an ihrer Spitze, verloren die Wahl. Trotz Churchill? Wegen Churchill? Genug, Churchill war gestürzt.

Er war jetzt siebzig, und das schien das Ende.

Als Churchill im Juli 1945 abgewählt wurde, sagte seine Frau zu ihm: «Vielleicht ist es ein verkappter Segen.» Er antwortete: *Ich muß schon sagen, sehr effektvoll verkappt.*

Die meisten Leute würden seiner Frau zugestimmt haben. Churchills Sturz erfolgte praktisch im Augenblick des Sieges; er gab ihm einen glänzenden Abgang. Der Krieg war beendet. England war mit fliegenden Fahnen durchgekommen, seine Feinde waren vernichtet, und niemand konnte bestreiten, daß das alles Churchills Werk war. Daß der Sieg ebenso viele Probleme aufwarf wie er löste, das wußte er freilich – aber vorläufig eben nur er; seinem Land stand die Entdeckung noch bevor, und ein anderer Mann an Churchills Stelle wäre vielleicht froh gewesen, für die bevorstehende Ernüchterung und Enttäuschung nicht mehr verantwortlich gemacht zu werden.

Außerdem war Churchill jetzt 70 Jahre alt, und die letzten fünf Jahre hatten doppelt gezählt. Der Churchill von 1945 war physisch nicht mehr der Churchill von 1940. Er war gealtert, und er war schrecklich erschöpft: schlaflos und reizbar, fahrig und etwas böse. Die Erschöpfung war vielleicht noch einmal zu überwinden; vor dem Alter war kein Entkommen mehr. Und war seine Tat nicht getan, der Schicksalsauftrag, auf den er sein Leben lang gewartet hatte, nicht gekommen und großartig erfüllt?

Alles sprach eigentlich dafür, es jetzt genug sein zu lassen. An Ehrungen war kein Mangel. Wo immer er sich zeigte – nicht nur in England, auch in Südfrankreich, wo er zum erstenmal seit sechs Jahren Urlaub machte, sogar, zu seiner Verwirrung, im besiegten Berlin – winkten und jubelten ihm Menschen zu. Ein Herzogstitel wartete auf ihn; er brauchte nur zuzugreifen. Englische und amerikanische Städte und Universitäten rissen sich darum, ihn zum Ehrenbürger und Ehrendoktor zu machen. Sogar zum schwerreichen Mann wurde er, ohne sein Zutun, auf seine alten Tage: Alle seine Bücher waren jetzt auf einmal internationale Bestseller geworden.

Ihnen blieb noch eines hinzuzufügen: sein persönlicher Bericht über den Zweiten Weltkrieg, auf den die Welt wartete. War das nicht Arbeit genug für seine letzten Jahre? Im übrigen: Olympiertum, Ruhe, Sammlung, Überblick, ein Platz im House of Lords, von wo er gelegentlich das weise und wuchtige Wort des älteren Staatsmanns sprechen konnte, und bis zum Tode die wärmende Herbstsonne des Ruhms: War dieses Los, das ihm jetzt in den Schoß zu fallen schien, nicht ebenso erstrebenswert wie natürlich?

Nicht für Churchill. Er war mit Siebzig immer noch derselbe Mensch, der er mit Dreißig, mit Vierzig oder mit Fünfzig gewesen war. Tatenlosigkeit war immer noch seine persönliche Hölle; Zusehen müssen immer noch unerträglich; Muße dasselbe wie Langeweile, Ruhm und Reichtum kein Trost. Gestürzt werden war immer noch genau so schmerzhaft wie je vorher. Und auch seine Reaktion, nach dem ersten, immer noch und immer wieder betäubenden Schock, war dieselbe wie einst. Sie hieß immer noch: «Nun erst recht.»

Der Siebzigjährige rüstete sich noch einmal zur Wanderung durch die politische Wüste. Von Anfang 1946 an arbeitete er an seinem Comeback. Den angebotenen Herzogstitel schob er beiseite. Er blieb im Unterhaus, als Führer der konservativen Opposition und Aspirant auf den Premierministerposten. Sein Buch über den Zweiten Weltkrieg? Das schrieb er auch, sechs Bände davon: nebenbei und mit der linken Hand. Er war unersättlich. Er schien unverwüstlich.

Die Jahre 1946 bis 1951 sind eine merkwürdige Epoche in Churchills Leben. Fast wirken sie wie eine Variation über die zweifelhaftesten, zwielichtigsten Jahre seiner politischen Laufbahn, die Zeit zwischen den Kriegen, in der er sich nach und nach mit allen politischen Parteien überworfen und seinen politischen Ruf bis auf den Nullpunkt heruntergewirtschaftet hatte. Fast; nicht ganz. Die schnell legendär werdende Erinnerung an das Jahr 1940, den Ruhm des Siegers im Zweiten Weltkrieg, konnte ihm keiner nehmen; und er selbst erneuerte beides gelegentlich mit großen Reden, in denen man den alten Löwen und den Weltstaatsmann wieder hörte: in Fulton und Zürich 1946, in Amsterdam 1948, in Straßburg 1949.

Aber war es Zufall, daß diese Reden immer im Ausland gehalten wurden? In London, im parlamentarischen Alltagsbetrieb, erlebte man nicht den Churchill der Kriegszeit, sondern den Churchill der zwanziger Jahre: den Reaktionär, den Polemiker, den eigensinnigen, manchmal glänzenden, aber auch oft verbohrten und verrannten Parteipolitiker, der sich Feinde machte und über den auch seine Freunde nicht selten den Kopf schüttelten.

Mit der Konservativen Partei, an deren Vorsitz er fast mit Bosheit festhielt, war er im Grunde so wenig verbunden wie eh und je. Sie war ihm einfach das Reitpferd, das ihn wieder ins Ziel tragen sollte. Die Konservativen empfanden das natürlich, und im stillen seufzten sie oft über ihn und wären ihn gern losgewesen; aber er war eben nicht loszuwerden. Die Labour Party andererseits, die ihm die Rückkehr zur Macht versperrte, bekämpfte er mit einer rücksichtslosen, verletzenden Härte und Schärfe, als ob sie ihm nie seine wichtigsten Mitarbeiter und Mitstreiter im Kriege gestellt hätte. Daß er dazwischen Augenblicke der Großmut hatte, in denen er plötzlich wieder den über den Parteien stehenden Staatsmann hervorkehrte, verwirrte mehr, als es versöhnte.

Niemand behauptet, daß Churchills Oppositionsführung eine seiner politischen Meisterleistungen gewesen wäre; auch nicht, daß er es war, der die Labourregierung schließlich zu Fall brachte. Das besorgte die Zeit. Sie nutzte die Labourregierung ab, wie sie alle Regierungen abnutzt. Aber die Zeit ist unparteiisch. Sie nutzte auch Churchill ab. Als er nach den Wahlen vom Oktober 1951 tatsächlich noch einmal Premierminister wurde, an der Spitze einer knappen konservativen Mehrheit – eigentlich hatte es niemand mehr so recht erwartet –, bemerkte plötzlich alle Welt, was sie bis dahin immer noch zartfühlend übersehen hatte: daß er jetzt ein Greis war.

Die Überreizung, Überarbeitung und Überanspannung der Kriegsjahre hatte er wohl noch einmal überwunden; aber er war inzwischen eben noch sechs Jahre älter. Ein wenig milder schien er geworden; sein Humor war wieder da, seine Menschlichkeit. Gelegentlich blitzte der alte Witz noch wieder auf, gelegentlich fuhr die Löwenpranke noch einmal heraus. Aber unverkennbar war er, zum Beispiel, recht schwerhörig geworden. Auch das Gedächtnis hatte nachgelassen; die jüngeren und neueren Gesichter unter den Abgeordneten und sogar unter den Ministern konnte er sich nicht mehr recht einprägen, er verwechselte sie manchmal. In diesen Jahren halber Muße war er, spät im Leben, ein leidenschaftlicher Romanleser geworden; das konnte er auch jetzt, wieder im Amt, nicht ganz lassen, und der Geschäftsgang litt ein wenig darunter: Romane sind zeitraubend. Im Sommer 1949 hatte er, auf Ferien an der Riviera und daher unbemerkt von der Öffentlichkeit, einen ersten leichten Schlaganfall erlitten. Sichtbare Folgen waren nicht zurückgeblieben. Aber seine volle Arbeits- und Konzentrationsfähigkeit hatte er nicht zurückgewonnen; das zeigte sich jetzt, da sie wieder gebraucht wurde. Schon im ersten Jahr seiner neuen Amtszeit, 1952, ging in London unter Eingeweihten das Wort «Halbtagspremier» herum; und am Ende dieses Jahres hatte sich ganz allgemein eine gewisse resignie-

Oktober 1952

rende Enttäuschung ausgebreitet. Die Zeit der großen Taten Churchills schien endgültig vorbei.

Und dann geschah doch noch einmal etwas. Noch einmal, ein letztes Mal, reckte sich der alte Riese zu seiner ganzen Größe auf. Einen kurzen Augenblick blickte noch einmal, wie 1940, die ganze Welt auf Churchill. Es war ein Augenblick der Hoffnung. Verwirklicht wurde diese Hoffnung nicht mehr.

Es begann damit, daß sein langjähriger Außenminister und Kronprinz Anthony Eden Anfang 1953 lebensgefährlich erkrankte und auf Monate ausfiel. Das schien Churchill merkwürdigerweise zu beleben. Er übernahm, bis Eden zurückkam, auch das Außenministerium, und die Extraarbeit verjüngte ihn zusehends: Seit Jahren hatte man ihn nicht mehr in solcher Form gesehen. Plötzlich war er wieder in seinem Element – beinahe, als wäre ihm erst jetzt wieder eingefallen, wofür er eigentlich die ganze Zeit im Geschirr geblieben war, was er noch zu tun vorgehabt hatte.

Denn über aller Parteipolitik war er ja nie das quälende Gefühl losgeworden, daß sein eigentliches Werk 1945 als Fragment abgebrochen worden war. Der Sieg war komplett gewesen, aber sonst nichts; weder die Dauerverbindung mit Amerika, die Englands Schwächung und wirtschaftliche Ausblutung hatte auffangen und kompensieren sollen, noch die Wiederherstellung und Befriedung Europas. Der Krieg gegen Deutschland war fast ohne Pause in den Kalten Krieg gegen Rußland übergegangen – nicht ohne Churchills eigenes Zutun. 1945 hatte er wohl gehofft, den neuen Konflikt als Motor benutzen zu können, um damit die anglo-amerikanische Einigung weiterzutreiben und durch ein europäisches Einigungswerk zu ergänzen: Das war die Pointe seiner berühmten Reden in Fulton und Zürich 1946 gewesen. Aber die Reden eines Entmachteten sind ein schwaches und stumpfes Instrument – wer hatte mehr Erfahrung darin als Churchill! Man hatte in Amerika wie in Europa nur das aus ihnen herausgehört, was man hören wollte, nicht das, worauf es Churchill ankam. Der Kalte Krieg hatte sich selbständig gemacht; seit in Korea wieder gekämpft wurde, drohte er in einen neuen Weltkrieg überzugehen, ohne daß die Einigung der englischsprechenden Völker oder die Einigung Europas viel davon gewonnen hätte.

Und inzwischen hatte nun auch Rußland die Atombombe, schon war man hüben und drüben dabei, die Wasserstoffbombe zu entwickeln. Der Krieger Churchill sah, früher als andere, daß Krieg jetzt unmöglich wurde, daß es Zeit geworden war, Frieden zu machen. Es arbeitete in ihm in diesen Monaten; noch einmal war er imstande, umzudenken; noch einmal formte sich in seinem Kopf, noch skizzenhaft, so etwas wie ein neuer Weltentwurf.

Und dann starb Stalin. Es war der letzte Anstoß für Churchill. Am 11. Mai 1953 hielt er von allen Reden, die er je gehalten hatte, die überraschendste. Ohne Warnung, ohne Vorbereitung warf er den Kurs herum, den England, zusammen mit dem Westen, seit sieben Jahren gesteuert hatte. Er proklamierte praktisch das Ende des Kalten Krieges. Er schlug eine Gipfelkonferenz mit den Nachfolgern Stalins vor, und er warf das Wort «Locarno» in die Debatte – den Gedanken eines gesamteuropäischen Sicherheitssystems an Stelle der entgegengesetzten Bündnisblöcke.

Die Töne, die Churchill am 11. Mai 1953 anschlug, sind seither in der Weltpolitik nicht mehr verstummt, obwohl der Friede, den er damals entwarf, bis heute nicht verwirklicht ist. Was Churchill damals sagte, klingt heute, wenn man es nachliest, nicht mehr ungewohnt. Aber er war eben der erste, der es sagte. Damals, auf der Höhe des Kalten Krieges, erschütterte er damit die Welt. Rußland horchte auf. Deutschland war erschrocken, Amerika befremdet und besorgt. England fühlte plötzlich eine neue Hoffnung – und einen neuen Stolz. Mit einem Schlag hatte sein großer alter Mann es wieder ins Zentrum des Weltgeschehens gerückt. Churchills Friedensplan war die letzte große Weltinitiative, die von England ausging.

War es ein Plan zu nennen? Oder waren es nur Ansätze, Gedankenfragmente, gewaltige Bruchstücke, die sich nicht zu einem Ganzen fügten? Es ist schwer zu sagen. Wie bei gewissen Skizzen und Entwürfen des späten Rembrandt und des späten Beethoven hat man bei diesem letzten großen Ansatz des späten Churchill das Gefühl: «Wenn er das noch zustande gebracht hätte, wäre es das Größte geworden, was er je gemacht hätte» – und zugleich den Zweifel, ob es je zustande zu bringen war. Churchill wollte vieles gleichzeitig, was eigentlich unvereinbar schien: die englisch-amerikanische und die europäische Einigung – und darüber, alles überwölbend, den großen Atomfrieden, getragen von der wiederhergestellten Siegerkoalition des Zweiten Weltkriegs. Vielleicht war das alles zusammen unerreichbar; vielleicht widersprachen sich die Teile und ergaben kein Ganzes. Andererseits sind die Werke der Staatskunst niemals, wie andere Kunstwerke, harmonisch abgeschlossen und fertig in sich ruhend in starrer Vollendung. Politik ist Bewegung; die Dinge in Bewegung bringen und die Bewegung dorthin lenken, wo man sie haben will, ist alles. Und das wird man dem alten Churchill lassen müssen, daß er die Dinge noch einmal gewaltig in Bewegung brachte.

Die Bewegung zu lenken, blieb ihm versagt. Den Gipfel erreichte er nicht mehr – in mehr als einem Sinne. Ehe auch nur die erste Etappe erreicht war, die vorbereitende Gipfelkonferenz der Westmächte, die er im ersten Angriffsschwung durchgesetzt hatte und auf der er Amerika für sein großes neues Spiel gewinnen wollte, wurde er vom Schlage gerührt.

Am 27. Juni 1953 las man in den englischen Zeitungen eine sonderbare Verlautbarung: Der Premierminister sei überarbeitet und müsse sich einen Monat «von seinen Pflichten entlasten». Überarbeitet? Entlasten? Es klang so gar nicht nach Churchill. Tatsächlich lag er, halbseitig gelähmt und der Sprache beraubt, hilflos in seinem Landhaus in Chartwell. Seine Kollegen erwarteten seinen baldigen Rücktritt; seine Ärzte rechneten mit seinem baldigen Tod.

Sie hatten nicht mit seiner Zähigkeit gerechnet. Er gab nicht auf. Er gab nie auf. Kaum konnte er wieder die Lippen bewegen, als er wieder von der Gipfelkonferenz anfing – nun sollte sie im September stattfinden. *Ich habe das Gefühl, daß ich etwas tun kann, was kein anderer kann*, vertraute er seinem Arzt an – mummelnd, kaum verständlich. *Ich glaube, ich könnte der Welt eine neue Richtung geben. Vielleicht noch nicht Weltfrieden, aber Weltentspannung. Amerika kann es nicht. Amerika ist sehr mächtig, aber sehr tolpatschig.*

Zunächst konnte er gar nichts tun, als versuchen, die Herrschaft über seinen Körper wiederzugewinnen. Der alte Weltstaatsmann war jetzt zugleich wieder ein kleines Kind, das laufen lernt – und stolz wie ein Kind auf seine Fortschritte im Laufenlernen. *Ich könnte jetzt noch nicht wieder regieren, das ist klar*, sagte er am 19. Juli (immer noch mummelnd); *aber physisch mache ich gute Fortschritte*. Sein Arzt, der das berichtet, fährt in seiner Schilderung fort: «Er warf seine Beine aus dem Bett und bewegte sich auf ihnen bis zum Badezimmer, um zu demonstrieren, wieviel besser er schon wieder gehen konnte. An der Badewanne hatte man eine Stange angebracht. Er ergriff sie, manipulierte sich stehend in die leere Badewanne und schickte sich dann an, sich langsam herunterzulassen, bis er schließlich triumphierend zum Sitzen kam, nichts als ein seidenes Unterhemd am Körper: *Vor einer Woche hätte ich das noch nicht gekonnt.»*

Und dann, fast im selben Atemzug: *Natürlich, die Russen werden vielleicht eine Konferenz verweigern. Ich glaube, es wäre ihnen lieber, wenn ich allein zu ihnen käme, um die Amerikaner zu ärgern – nicht, daß ich mich je von den Amerikanern trennen lassen würde.*

Ein paar Tage später: *Manchmal habe ich das Gefühl, da ist irgendein Teil in meinem Gehirn, der nicht mehr richtig mitmacht und vielleicht plötzlich platzt, wenn ich ihn zu sehr benutze. Ich weiß, das ist unmedizinisch. Aber ich will mich noch nicht herauswerfen lassen, einen Schuß will ich noch haben, das mit den Russen will ich noch in Ordnung bringen. Wissen Sie, ich spiele mit hohen Karten. Wenn ich Erfolg habe und wenn wir abrüsten können* – er lispelte vor Aufregung –, *könnte man dem Arbeiter etwas geben, was er noch nie gehabt hat – Muße. Eine Viertagewoche, und dann drei Tage Spaß!*

Dazwischen immer wieder quälende Gedanken darüber, daß, während er hier hilflos lag, alles falsch gemacht wurde. Manchmal brach er in Tränen aus. *Ich war immer am Wasser gebaut, aber jetzt bin ich richtig heulerig geworden. Kann man nichts dagegen tun?* Auf einer Außenministerkonferenz, die statt der westlichen Gipfelkonferenz stattgefunden hatte, war alles schiefgelaufen, Dulles hatte sich durchgesetzt. Er war hilflos zornig darüber, und witzig in seinem Zorn. *Dulles ist gerade klug genug, um in ziemlich großem Maßstab dumm sein zu können.*

Um diese Zeit saß Churchill noch im Rollstuhl, aber schon vier Wochen später ging er wieder am Stock, im September zeigte er sich zum erstenmal wieder in der Öffentlichkeit, und im Oktober, auf dem konservativen Parteitag, hielt er zum erstenmal wieder eine Rede. Es war ein unglaublicher Triumph seiner Willenskraft, aber vor dieser Rede hatte er Angst, wie er nie in seinem Leben Angst gehabt hatte. Er hatte die Herrschaft über seinen Körper zurückgewonnen, aber er bewegte sich noch mühsam, es passierte ihm leicht, daß er sich versprach, und er wußte nicht, ob er schon wieder eine Stunde auf seinen Beinen stehen konnte. Er wußte aber, man durfte ihm nicht das Geringste anmerken: Zuviel hatte sich herumgesprochen, zu viele seiner Kollegen warteten auf seinen Rücktritt. Irgendein Zeichen, daß er nicht gänzlich wiederhergestellt, nicht ganz wieder der Alte war, irgendein Steckenbleiben oder Aus-dem-Konzept-Geraten, ein Zusammenbruch gar – das wäre das Ende. Churchill ging in diese Rede wie in eine Schlacht. Er gewann die Schlacht.

4. April 1955: Churchill verabschiedet seine königlichen Gäste

Und doch war alles umsonst, der große Augenblick verpaßt, der entscheidende erste Schwung verloren, der Gipfel verfehlt. Andere Dinge drängten sich vor, die Krise Frankreichs in Indochina kam dazwischen, die Berliner, dann die Genfer Außenministerkonferenz. Im Juli 1954 endlich konnte Churchill noch einmal auf seinen großen Plan zurückkommen. Er flog nach Amerika, rekognoszierte das Terrain – und dann schrieb er nach Moskau und schlug ein Zweiertreffen vor. Es war sein letzter und kühnster Wurf. Er wagte jetzt, was er im Krieg nie gewagt hatte: die Trennung oder scheinbare Trennung von Amerika, den Alleingang, vielleicht sogar die stillschweigende Drohung mit dem Bruch der Allianz. Er schien bereit, Amerika, wenn er es nicht überreden konnte, zu zwingen. Er schrieb privat, ohne das Kabinett zu konsultieren, so wie er im Krieg an Roosevelt immer privat geschrieben hatte.

Aber diesmal rebellierte das Kabinett. Was man dem Kriegspremier ohne zu fragen zugestanden hatte – dem nun fast achtzigjährigen Churchill gestand man es nicht mehr zu. Und er hatte nicht mehr die Kraft, sich gegen das Kabinett durchzusetzen. Womit hätte er sich auch durchsetzen können? Mit einer Rücktrittsdrohung? Auf seinen Rücktritt wartete man jetzt sowieso.

Man wartete nachgerade kaum mehr – man drängte. Und waren die Konservativen dafür allzu hart zu tadeln? Es war nicht mehr zu übersehen, daß der Churchill von 1954 seinem Amt physisch nicht mehr gewachsen war. Die Euphorie des ersten Halbjahrs 1953 war ein letztes Aufflackern gewesen, vielleicht sogar das täuschende Vorspiel seines Zusammenbruchs; seine Wiederherstellung heroisch, aber unvollständig. Jetzt war er nicht einmal mehr ein Halbtagspremier. «Stundenweise ist er noch großartig – besser als je», berichtete damals einer seiner Sekretäre im vertrauten Kreis. «Aber dann setzt es plötzlich aus, und für lange Zeiten ist er geistig einfach nicht da.»

Er litt jetzt an Anfällen von Schwermut; sehr gelegentlich hatte er sie schon früher gekannt – sie waren ein Familienerbteil von Vaters Seite; aber jetzt wurden sie häufiger. Es war ein Zustand, den er den *schwarzen Hund* nannte. *Der schwarze Hund ist wieder da.* Sein Widerstand erlahmte; als seine treuesten Anhänger, Eden und Macmillan, nacheinander seinen Rücktritt verlangten, gab er schließlich nach. Das war Anfang 1955. Dann zögerte er doch noch wieder. Aber am 5. April trat er zurück. Die Londoner Zeitungen streikten gerade, und es gab keine Abschiedsartikel. Zum erstenmal in seinem Leben lieferte Churchill keine Schlagzeilen.

Im übrigen spielte sich alles in den besten Formen ab. Sein achtzigster Geburtstag war gefeiert worden wie nie der Geburtstag eines lebenden Politikers, und am Abend vor seinem Rücktritt war die Königin bei ihm zu Gast – ebenfalls eine Ehrung ohne Vorgang. Er trug Hofuniform mit Kniehosen, und zum Abschied öffnete er der Königin den Wagenschlag. Die Straße war voller Menschen, die Blitzlichter erhellten die Frühlingsnacht, und die Kameras surrten. Der alte Churchill zeigte sich in großartigster Haltung: Er lächelte, fast schien er zu strahlen. Diesmal wurde er nicht gestürzt – er ging; ehrenüberhäuft, mit großer Würde, scheinbar aus freien Stücken. Es war das erste Mal, daß ein Abschied vom Amt sich so für ihn abspielte. Dafür war es diesmal der endgültige Abschied; Abschied von der Politik, von der Macht, von seinem unvollendeten Werk; er selbst empfand es als Abschied vom Leben.

Er lebte danach noch fast zehn Jahre. Von diesen zehn Jahren ist nichts mehr zu berichten. Sie begannen in Bitterkeit; die Bitterkeit ging über in Schwermut und Langeweile; und die Langeweile in langsames Erlöschen.

Bitterkeit – denn wie ehrenvoll und scheinbar freiwillig sein Abgang auch war, für ihn war er doch wieder und doch immer noch dasselbe wie sein dreimaliger unfreiwilliger Abgang vorher gewesen war: Verstoßung und Verbannung; und diesmal endgültig, diesmal für immer. Er nahm es hin. Aber es leichtzunehmen, war ihm nicht gegeben. Den wartenden Herzogstitel schlug er auch diesmal aus. Noch zweimal, 1955 und 1959, ließ er sich ins Unterhaus wählen, und in den ersten Jahren nahm er dort noch häufig seinen alten Platz ein – den Ecksitz unten am Mittelgang, der von der Tradition prominenten Außenseitern und Parteirebellen vorbehalten war. Aber er öffnete den Mund nicht mehr. Es gab Gelegenheiten, wo alles auf ein Wort von ihm wartete; nach dem Suez-Debakel von 1956 zum Beispiel war es so. Aber er schwieg. Er hatte sich vorgenommen, jetzt für immer zu schweigen.

In den ersten Jahren sah er noch alte Freunde, reiste, malte, las. Dann gab er auch das eins nach dem andern auf. Er wurde allmählich ganz taub, viele Altersbeschwerden stellten sich ein, und er hatte noch mehrere leichtere und schwerere Schlaganfälle. Seine Diener – er hatte immer Diener gehabt – wurden allmählich Pfleger. Er wurde Treppen hinauf- und hinabgetragen, und er saß lange Sommerstunden im Garten und lange Winterstunden vor dem Kamin, manchmal, wie es schien, in schweres Sinnen versunken, manchmal leer vor sich hinstarrend und mit dem Stock im Sande malend.

Allmählich, als die Jahre vergingen, fiel es auf, daß er nicht starb. Zuerst hatte er sich oft den Tod gewünscht; sein nutzlos gewordenes Leben war ihm zur Last. Aber er konnte nicht sterben. Er hatte nie aufgeben können. Selbst jetzt gab es offenbar etwas in ihm, das nicht aufgeben konnte, das sich, ob er es noch wußte oder nicht, bis zum letzten wehrte – gegen den Tod, der langsam, Stück für Stück, von ihm Besitz ergriff, wie gegen jeden früheren Feind.

Einmal, 1962, glitt er unglücklich aus und brach sich den Oberschenkel. Er war jetzt 88 Jahre alt: In diesem Alter übersteht man so etwas nicht. In allen Zeitungsredaktionen gingen die Nachrufe auf Churchill in Satz, und an die großartigen Trauerfeierlichkeiten, die man für ihn bereithielt, wurde die letzte Hand gelegt. Er lag zwei Monate lang in Gips. Dann wur-

Januar 1957: Churchill verläßt London, um sich an der französischen Riviera zu erholen

Churchill an seinem 90. Geburtstag

de er aus dem Krankenhaus getragen, geschrumpft, verfallen, kaum mehr zu erkennen – aber lebend; immer noch einmal siegreich. Draußen wartete eine Menschenmenge in frommer Neugier, halb ergriffen, halb verlegen, auf die Sagengestalt, die unbegreiflicherweise immer noch lebte; vielen der Jüngeren darunter war fast schon unbegreiflich, daß sie je gelebt hatte. Der Mann, der 1940 im brennenden London Weltgeschichte gemacht hatte, war fast schon so fern wie der Mann, der 1898 bei Omdurman die letzte Kavallerieattacke mitgeritten hatte. Hatte es ihn je gegeben? Gab es ihn wirklich immer noch? Aber da war er tatsächlich, da wurde er hinausgetragen. Er hörte einen scheuen Jubel, und er versuchte ein schwaches Lächeln. Auch hob er den Arm ein wenig und spreizte zwei Finger in der Luft, so daß sie den Buchstaben V formten – «V for Victory», das Siegeszeichen, das er im Kriege immer gegeben hatte.

Auch danach lebte er noch lange Zeit. Er starb nach langem Todeskampf am 24. Januar 1965, in seinem einundneunzigsten Jahr. Während der ganzen vierzehn Tage, die er im Koma gelegen hatte, war sein Haus wieder von Menschen umdrängt gewesen. Oft hatten sie stundenlang dort verharrt, mit ernsten Kirchengesichtern, wie zu einer vorzeitigen Totenwache. Die letzten Worte, die irgend jemand von ihm gehört hatte, waren: *Es ist alles so langweilig.*

England bereitete ihm eine ungeheure Totenfeier. Fast schien es, als würde nicht eine Person zu Grabe getragen, sondern die englische Geschichte selbst – eine Geschichte von Glanz und Glück, deren letztes, ruhmvolles Kapitel Churchill geschrieben hatte, vor nun schon fast einem Vierteljahrhundert. Gern hätte man ihn in der Westminsterabtei beigesetzt oder in der St. Pauls-Kathedrale, neben Nelson und Wellington; aber das hatte er verboten. Zum Schluß wurde der Sarg von Matrosen zur Themse heruntergetragen, und dort ging es auf einer Barke flußaufwärts, und dann mit einer Kleinbahn ins Land hinaus, nach dem Dorfe Bladon in Oxfordshire. Dort ist, seiner Verfügung gemäß, Churchills Grab, auf einem obskuren englischen Dorffriedhof, wo auch sein Vater begraben liegt.

Churchills Grab in Bladon, Oxfordshire

ZEITTAFEL

1874	30. November: Winston Churchill in Schloß Blenheim geboren
1876–1879	Kindheit in Dublin
1881–1892	Schulzeit in Ascot, Brighton und Harrow
1893–1894	Kadett in Sandhurst
1895	Januar: Tod des Vaters
	März: Leutnant beim 4. Husarenregiment
	November: Kriegsberichterstatter in Kuba
1896	Indien: Polo und Selbststudium
1897	Teilnahme an Kämpfen an der Nordwestgrenze
1898	Teilnahme an der Sudanexpedition; Schlacht bei Omdurman
1899	Austritt aus der Armee. – Erfolglose Unterhauskandidatur. – Kriegsberichterstatter im Burenkrieg; Gefangennahme und Flucht
1900	Als Offizier reaktiviert. Teilnahme am Burenkrieg. – Wahl ins Unterhaus
1904	Parteiwechsel von den Konservativen zu den Liberalen
1906	Unterstaatssekretär für die Kolonien
1908	Wirtschaftsminister. – Heirat mit Clementine Hozier
1910	Innenminister
1911	Oktober: Erster Lord der Admiralität
1914	Verteidigung von Antwerpen. – Rücktrittsangebot
1915	18. Mai: Als Erster Lord der Admiralität entlassen. Kanzler des Herzogtums Lancaster
	November: Rücktritt. – Bataillonskommandeur in Flandern
1916	Mai: Rückkehr ins Unterhaus
1917	Juli: Rüstungsminister
1919	Januar: Kriegs- und Luftfahrtminister
1920	Kolonialminister
1922	Oktober/November: Regierungssturz und Wahlniederlage
1924	Zweiter Parteiwechsel, von den Liberalen zu den Konservativen
	November: Schatzkanzler
1929	Regierungssturz
1930	Rücktritt aus dem konservativen Schattenkabinett
1939	4. September: Wieder Erster Lord der Admiralität
1940	10. Mai: Premierminister und Verteidigungsminister
1943	November: Konferenz von Teheran
1945	Februar: Konferenz von Jalta
	Mai: Kriegsende in Europa und Ende der Koalitionsregierung. – Konservativer Premierminister
	Juli: Regierungssturz nach Neuwahlen

1945–1951	Führer der konservativen Opposition
1951	Oktober: Wieder konservativer Premierminister
1953	Schlaganfall. – Nobelpreis für Literatur
1955	5. April: Rücktritt
1965	24. Januar: Winston Churchill in London gestorben

ZEUGNISSE

G. W. STEEVENS

Wenn er so weitermacht, wird ihm mit dreißig Jahren das Parlament zu eng geworden sein, und mit vierzig England.

«Daily Mail». 1898

WICKHAM STEED

Wenn es je eine Situation geben sollte, die selbst er nicht überdramatisieren kann, könnte er der größte Premierminister werden, den wir je gehabt haben.

1938

SIR NORMAN BROOK

Wenn Winston nicht gewesen wäre, kann keiner sagen, was nach Dünkirchen passiert wäre. Solange er da war, kam Verhandeln mit Hitler nicht in Frage, und ein Sonderfriede war undenkbar.

CHARLES DE GAULLE

Churchill erschien mir (im Juni 1940) als ein Mann, der der gröbsten Arbeit gewachsen war – vorausgesetzt, sie war gleichzeitig grandios. Seine Urteilssicherheit, seine hohe Kultur, seine Vertrautheit mit den meisten Problemen, Ländern und Personen, um die es ging, schließlich seine Passion für das Kriegshandwerk – alles entfaltete sich spielend. Vor allem, er war, seiner ganzen Art nach, gemacht für die Aktion, für die Gefahr, für die große Rolle; er füllte sie prall und unbefangen aus. Kurz, ich fand ihn fest im Sattel als Führer und als Chef. Das waren meine ersten Eindrücke.

Sie sind in der Folgezeit nur bestätigt worden; hinzugekommen ist noch die Enthüllung der ganz besonderen Churchillschen Beredsamkeit und des Gebrauchs, den er von ihr zu machen wußte. Ganz gleich, was sein Publikum war: Menschenmenge, Versammlung, Komitee, selbst ein einzelner Verhandlungspartner; ob vor dem Mikrophon, auf der Tribüne, am runden Tisch, hinter dem

Schreibtisch: immer der gleiche Strom von Idee, Argument, Sentiment, immer gleich originell, poetisch, ergreifend; in den dramatischen Umständen, unter denen die arme Menschheit damals ächzte, gab ihm das alles eine beinah unwiderstehliche Macht über Menschen. Als erfahrener Politiker wußte er diese engelhafte und teuflische Gabe auszuspielen; er drang damit durch die englische Dickfelligkeit, und er frappierte damit Ausländer von Geist. Der Humor, mit dem er seine Gesten und seine Initiativen würzte, die Virtuosität, mit der er jetzt Charme und jetzt Zorn ausspielte, zeigten immer wieder seine Meisterschaft in dem schrecklichen Spiel, in dem er engagiert war.

Es hat grobe und peinliche Szenen zwischen uns gegeben – durch die Reibung unserer Charaktere, durch gewisse Interessengegensätze zwischen unseren Ländern, auch durch den Mißbrauch, den England mitunter mit der Schwäche des verwundeten Frankreich trieb; das hat meine Haltung beeinflußt, aber nicht mein Urteil. Winston Churchill blieb für mich vom Anfang bis zum Ende des Dramas der große Meister eines großen Werks und der große Künstler einer großen Geschichte.

DWIGHT D. EISENHOWER

Im Kriege kümmerte sich Churchill so sehr um alle militärischen Operationen, daß er praktisch ein Mitglied des britischen Generalstabs war. Ich kann mich an keine größere Stabskonferenz erinnern, an der er nicht teilgenommen hätte.

Auf mich wirkte er wie die Verkörperung englischer Tapferkeit und Zähigkeit im Unglück und englischen Konservatismus im Erfolg. Wenn man nicht mit ihm übereinstimmte – und das war notgedrungen manchmal der Fall –, war er ein schwieriger Gegner. Er konnte sehr rhetorisch werden, selbst in der Diskussion von Mann zu Mann. Seine intensive Zielstrebigkeit ließ das natürlich und angemessen erscheinen. Pathos und Humor standen ihm gleichermaßen zu Gebote.

Wenn ihm eine Entscheidung nicht paßte, kam er wieder und wieder darauf zurück, und versuchte sie umzustoßen, bis zum letzten Augenblick. Aber wenn dann die Aktion in Gang gesetzt war, war er fähig, alles Vorangegangene zu vergessen, und dachte nur noch an den Erfolg. Immer wieder suchte er dann mehr zu halten, als er versprochen hatte.

Einige der Fragen, in denen ich mich im Verlauf des Krieges in Opposition zu Churchill fand, gehörten zu den kritischsten, die ich zu bewältigen hatte; aber solange ich mich in den Grenzen meiner Befehlsgewalt hielt, konnte er nur durch Überredung eingreifen – oder durch die totale Zerstörung der alliierten Strategie. Immerhin, er hätte mir meine Aufgabe tausendmal schwerer machen können, wenn er weniger großherzig gewesen wäre. Ich schulde ihm unendlichen Dank für seine Ritterlichkeit und Hilfe selbst da, wo er wichtige Entscheidungen mißbilligte. Er war ein großer Kriegsmann, und er ist ein großer Mann.

ADOLF HITLER

Dieser Schwätzer und Trunkenbold Churchill, was hat er wirklich an dauernden Werten geschaffen, dieses verlogene Subjekt, dieser Faulpelz ersten Ranges? Wenn dieser Krieg nicht gekommen wäre, dann hätten Jahrhunderte von unserem Zeitalter und auch von meiner Person geredet als Schöpfer großer Werke des Friedens. Wenn aber Mister Churchill dieser Krieg nicht gelang, wer würde von ihm reden? So aber wird er allerdings weiterleben als der Zerstörer eines Imperiums, das er und nicht wir vernichteten. Eine der erbärmlichsten Herostratennaturen der Weltgeschichte, unfähig, irgend etwas Positives zu schaffen oder zu leisten, nur fähig, zu vernichten.

1942

LADY VIOLET BONHAM-CARTER (VIOLET ASQUITH)

Er war so vollständig im Banne seiner eigenen Meinungen, daß er die anderer Leute oft überhaupt nicht in Rechnung stellte, nicht einmal als praktischen Faktor in der jeweiligen Situation. Nie hat er das Ohr am Boden gehalten. Er war kein Empfänger, er war ein Sender: nur an seiner eigenen Botschaft interessiert und daran, wie er sie zur Geltung bringen konnte. Er hatte weder die feinen Antennen noch die liebedienerische Schmiegsamkeit des Demagogen. Keynes hat einmal Lloyd George mit einem Prisma verglichen, «das das Licht auffängt und bricht, und das am hellsten funkelt, wenn das Licht von verschiedenen Seiten zugleich kommt». Winston Churchill war niemals ein Prisma, niemals empfing oder reflektierte er fremdes Licht. Er war selbst eine Lichtquelle, und sein Licht war ein intensiver, direkter, konzentrierter Strahl. Das ist ein Grund, warum während langer Perioden seines politischen Lebens das britische Publikum sich, sozusagen blinzelnd, von ihm abwandte: Es hat ein Mißtrauen gegen das Blendende; es mag nicht ins Licht blicken.

HERBERT GEORGE WELLS

Er glaubt ganz naiv, daß er zu den Auserwählten gehört, die das Leben gewöhnlicher Sterblicher als Rohmaterial ihrer Heldentaten benutzen dürfen, als ob eine höhere Macht es ihnen zu diesem Zweck ausgehändigt hätte. Er steckt voller Phantasie, er ist besessen von Träumen – Träumen von großen Taten, von einem großen Leben. Seine Phantasie ist im Typ sehr ähnlich wie die d'Annunzios. D'Annunzio als Engländer wäre ein Churchill geworden; Churchill als Italiener ein d'Annunzio... Was er sich über alles wünscht, ist eine Bühnenwelt voller Schurken – und mit nur einem Helden.

MALCOLM MUGGERIDGE

Was auch immer das Urteil der Geschichte über Churchill sein wird, eins wird sie ihm zugestehen müssen: Er ist die große Ausnahme zu der Regel, daß ein Künstler kein Mann der Tat sein kann. Dasselbe innere Feuer, das ihn zu einem großen Führer gemacht hat, brennt in jedem Wort, das er schreibt – und umgekehrt.

GEORGE BERNARD SHAW

Was ich Churchill gern fragen würde, ist: Wenn er sein Leben noch einmal leben könnte – würde er es wieder im Unterhaus verschwenden, so wie es dort durch das Parteiensystem tatsächlich verschwendet worden ist? Seine wirkliche Laufbahn hat er als Soldat gehabt – und als Schriftsteller.

BIBLIOGRAPHIE

1. Bibliographien, Nachschlagewerke, Periodika

FARMER, B. J.: Bibliography of the works of Sir Winston Churchill. London 1958
Winston Churchill memorial lecture. Bd. 1 ff. Zürich 1967 ff.
WOODS, FREDERICK: A bibliography of the works of Sir Winston Churchill. KG, OM, CH. 3. Aufl. London 1975
MESSICK, FREDERIC M.: With Churchill. A bibliography of his associates. In: Bulletin of bibliography 46 (1989), S. 195–203
Select classified guide to the holdings of the Churchill Archives Centre, January 1992. Cambridge 1992
RASOR, EUGENE L.: Winston S. Churchill, 1874–1965. A comprehensive historiography and annotated bibliography. Westport, Conn. 2000
BARRETT, BUCKLEY B.: Churchill. A concise bibliography. Westport, Conn. 2000

2. Werke in Originalausgaben und deutschen Übersetzungen

a) Werke

The Story of the Malakand Field Force. An episode of frontier war. London (Longmans Green) 1898
The River War. An historical account of the reconquest of the Soudan. 2 Bde. London (Longmans Green) 1899
Savrola. A tale of the revolution in Laurania. New York (Longmans Green) 1900. – Dt.: Savrola. Die Revolution in Laurania. Roman. Übertr. von CARL BACH. Bern (Hallwag) 1948
London to Ladysmith via Pretoria. London (Longmans Green) 1900
Jan Hamilton's march. London (Longmans Green) 1900
Mr. Brodrick's army. London (Humphreys) 1903
Lord Randolph Churchill. 2 Bde. London (Macmillan) 1906
My African journey. London (Hodder and Stoughton) 1908
Liberalism and the social problem. London (Hodder and Stoughton) 1909
The world crisis. 5 Bde. London (Butterworth) 1923–1931. – Bd. 1. 1911–1914. 1923. – Bd. 2. 1915. 1923. – Bd. 3, T. 1/2. 1916–1918. 1927. – Bd. 4. The aftermath. 1929. – Bd. 5. The eastern front. 1931
The world crisis 1911–1918. Abridged and revised with additional chapter on the Battle of The Marne. London (Butterworth) 1931. – Dt.: Die Weltkrise 1911–1918. Gekürzte u. neu durchges. Ausg. in 2 Bden. Übertr. von FRANZ FEIN. Zürich (Amstutz & Herdeg) 1946
Parliamentary government and the economic problem. Oxford (Clarendon Press) 1930

My early life. A roving commission. London (Butterworth) 1930. – Dt.: Weltabenteuer im Dienst. Übers. von DAGOBERT VON MIKUSCH. Hamburg (Rowohlt) 1951 (rororo. 36)

Thoughts and adventures. London (Butterworth) 1932. – Dt.: Gedanken und Abenteuer. Übers. von HENDRIK GUELDER. 3. Aufl. Zürich (Amstutz & Herdeg) 1945

Marlborough. His life and times. 4 Bde. London (Harrap) 1933–1938

Great contemporaries. London (Butterworth) 1937. – Dt.: Große Zeitgenossen. Deutsche Übers., Nachw. u. bibliograph. Anh. von PETER DE MENDELSSOHN. Frankfurt a. M. (Fischer Bücherei) 1959 (Fischer Bücherei. 272)

Step by step. 1936–1939. London (Butterworth) 1939

On human rights. Melbourne (The Henry George Foundation) 1942

United Europe: Newsletters of the United Europe Movement No. 1. London (United Europe Movement) 1946

A united Europe. One way to stop a new war. London (United Europe Movement) 1947

The Second World War. 6 Bde. London (Cassell) 1948–1954 – Bd. 1. The gathering storm. 1948. – Bd. 2. Their finest hour. 1949. – Bd. 3. The Grand Alliance. 1950. – Bd. 4. The hinge of fate. 1951. – Bd. 5. Closing the ring. 1952. – Bd. 6. Triumph and tragedy. 1954. – Dt.: Der Zweite Weltkrieg. Einzig berechtigte Übertr. aus dem Engl. 6 Bde. Bern (Scherz) 1948–1954

The Second World War and an epilogue on the years 1945 to 1957. Abridged, one-volume edition. London (Cassell) 1959. – Dt.: Der Zweite Weltkrieg. Mit einem Epilog über die Nachkriegsjahre. Einzig berechtigte Übertr. aus dem Engl. Bern und München (Scherz/Droemer) 1960

Painting as pastime. London (Odhams Benn) 1948

A history of the english-speaking peoples. 4 Bde. London (Cassell) 1956–1958. – Bd. 1. The birth of Britain. 1956. – Bd. 2. The new world. 1956. – Bd. 3. The age of revolution. 1957. – Bd. 4. The great democracies. 1958. – Dt.: Geschichte. Einzig berechtigte Übertr. aus dem Engl. von PETER STADELMAYER. Stuttgart (Scherz & Goverts) 1956–1958. – Kurzausgabe: Aufzeichnungen zur europäischen Geschichte. Bern (Scherz) 1964 (Das moderne Sachbuch. 31)

The collected works of Sir Winston Churchill. Hg: FREDERICK WOODS. Centenary limited ed. 34 Bde. London (Library of Imperial History) 1973–1976

Der Zweite Weltkrieg. Mit einem Epilog über die Nachkriegsjahre. Bern (Scherz) 1985

Der Zweite Weltkrieg. Ein unvergleichliches Dokument der Zeitgeschichte. Bern (Scherz) Neuaufl. 1989

Geschichte. Sonderausg. 4 Bde. Augsburg (Weltbild-Verlag) 1990. – Bd. 1. Vom römischen Weltreich bis zur Entdeckung Amerikas. – Bd. 2. Das Zeitalter der Renaissance und der Reformation. – Bd. 3. Das Zeitalter der Revolution. – Bd. 4. Von Napoleon bis Königin Victoria

Marlborough. Gekürzte dt.-sprachige Ausg. 2 Bde. Zürich (Manesse) 1990. – Bd. 1. Der Weg zum Feldherrn, 1650–1705. – Bd. 2. Der Feldherr und Staatsmann, 1705–1722

Winston S. Churchill, war correspondent, 1895–1900. Hg. FREDERICK WOODS. London u. a. (Brassey's) 1992

The Churchill war papers. Hg. MARTIN GILBERT. London 1999

b) Reden

For free trade. A collection of speeches. London (Humphreys) 1906

For liberalism and free trade. Principal speeches. Dundee (John Leng) 1908

The people's rights. Selected from his Lancashire and other recent speeches. London (Hodder and Stoughton) 1910

The liberal government and naval policy. A speech. London (Liberal Publications Department) 1912

Reason and reality. A speech. London (W. Myers) 1920

The alternative to socialism. A speech. London (Harrison and Sons) 1924

India. Speeches and an introduction. London (Butterworth) 1931

Arms and the covenant. Speeches. Hg. RANDOLPH S. CHURCHILL. London (Harrap) 1938

Into battle. Speeches. Hg. RANDOLPH S. CHURCHILL. London (Cassell) 1941

The unrelenting struggle. War speeches. Hg. CHARLES EADE. London (Cassell) 1942

The end of the beginning. War speeches 1942. Hg. CHARLES EADE. London (Cassell) 1943

Onwards to Victory. War speeches 1943. Hg. CHARLES EADE. London (Cassell) 1944

The dawn of liberation. War speeches 1944. Hg. CHARLES EADE. London (Cassell) 1945

Victory. War speeches 1945. Hg. CHARLES EADE. London (Cassell) 1946

Secret session speeches. Hg. CHARLES EADE. London (Cassell) 1946

Reden. Aus dem Engl. übertragen. 7 Bde. Zürich (Europa Verlag) 1946–1950

The sinews of peace. Post-war speeches. Hg. RANDOLPH S. CHURCHILL. London (Cassell) 1948

Europe unite. Speeches 1947 and 1948. Hg. RANDOLPH S. CHURCHILL. London (Cassell) 1950

In the balance. Speeches 1949 and 1950. Hg. RANDOLPH S. CHURCHILL. London (Cassell) 1951

The war speeches. Hg. CHARLES EADE. 3 Bde. London (Cassell) 1952

Stemming the tide. Speeches 1951 and 1952. Hg. RANDOLPH S. CHURCHILL. London (Cassell) 1953

The unwritten alliance. Speeches 1953 to 1959. Hg. RANDOLPH S. CHURCHILL. London (Cassell) 1961

Winston S. Churchill: His complete speeches, 1897–1963. Hg. ROBERT RHODES JAMES. 8 Bde. New York 1974

Blood, toil, tears, and sweat. Winston Churchill's famous speeches. Hg. DAVID CANNADINE. London (Cassell) 1989

Blut, Schweiß und Tränen. Antrittsrede im Unterhaus nach der Ernennung zum Premierminister am 13. Mai 1940. Mit einem Essay von HERFRIED MÜNKLER. Hamburg (Europäische Verlagsanstalt) 1995

c) Briefwechsel

Exchange of letters between the Prime Minister and General de Gaulle concerning the organization, employment and conditions of service of the French volunteer forces. London, H. M. S. O., 7. August 1940

Letters exchanged between His Majesty the King and the Prime Minister on the conquest of Sicily. London, H. M. S. O. for War Office, August 1943

Stalin's correspondence with Churchill, Attlee: Roosevelt and Truman, 1941–1945. 2 Bde. London (Lawrence and Wishart) 1958. – Dt.: Briefwechsel Stalins mit Churchill, Attlee, Roosevelt und Truman, 1941–1945. Übers. von HELMUT TRAUTZ. Berlin (Rütten und Loening) 1961

Die Unheilige Allianz. Stalins Briefwechsel mit Churchill 1941–1945. Mit einer Einl. und Erläuterungen zum Text von MANFRED REXIN. Reinbek (Rowohlt) 1964

Roosevelt und Churchill. Their secret wartime correspondence. Hg. FRANCIS L. LOEWENHEIM. London (Dutton) 1975

Churchill and Roosevelt. The complete correspondence. Hg. WARREN F. KIMBALL. 3 Bde. Princeton, N. Y. (Princeton University Press) 1984

The Churchill-Eisenhower correspondence, 1953–1955. Hg. PETER G. BOYLE. Chapel Hill u. a. (University of North Carolina Press) 1990

Speaking for themselves. The personal letters of WINSTON and CLEMENTINE CHURCHILL. Hg. MARY SOAMES. London u. a. 1998.

d) Ausspruch- und Zitatsammlungen

Mein Bundesgenosse. Aussprüche aus 2 Jahrzehnten. Ill. von engl. und amerikan. Pressezeichnern. Vorwort von ARNOLD LITTMANN. Berlin (Nibelungen Verlag) 1944

Maxims and reflections of the Right Hon. Winston S. Churchill. Hg. COLIN COOTE u. a. London (Eyre and Spottiswoode) 1947

Sir Winston Churchill. A self-portrait constructed from his own sayings and writings. Hg. COLIN COOTE u. a. London (Eyre and Spottiswoode) 1954

The wit of Winston Churchill. Hg. GEOFFREY WILLIAMS u. a. London (Parrish) 1954

The wisdom of Winston Churchill. Hg. F. B. CZARNOMSKI. London (Allen and Unwin) 1956

Winston Churchill on Jewish problems. A half-century survey. Hg. OSKAR K. RABINOWICZ. London (Lincolns-Prager) 1956

The wit and wisdom of Winston Churchill. A treasury of more than 1000 quotations and anecdotes. Hg. JAMES C. HUMES. New York (HarperCollins) 1994

The proverbial Winston S. Churchill. An index to proverbs in the works of Sir Winston Churchill. Hg. WOLFGANG MIEDER u.a. Westport, Conn. u.a. (Greenwood Press) 1995

3. Biographien und Würdigungen

SCOTT, A. MCCALLUM: Winston Spencer Churchill. London 1905

LEECH, H. J.: Mr. Winston Churchill, M. P. Manchester 1907

SCOTT, A. MCCALLUM: Winston Churchill in war and peace. London 1916

CAPTAIN X: With Winston Churchill at the front. Glasgow 1924

ROBERTS, C. E. B.: Winston Churchill. London 1928

HAGBERG, KNUT: Kings, Churchills and statesmen. A foreigner's view. London 1929

GERMAINS, H. V.: The tragedy of Winston Churchill. London 1931

MARTIN, HUGH: Battle. The life story of the Rt. Hon. Winston S. Churchill. London 1932

«WATCHMAN»: Right Honourable Gentleman. London 1939

ARTHUR, GEORGE C. A.: Concerning Winston S. Churchill. London 1940

BROAD, LEWIS: Winston Churchill. Man of war. London 1940

BUCHAN, WILLIAM: Winston Churchill. London 1940

KRAUS, RENÉ: Winston Churchill. New York 1940

SENCOURT, ROBERT: Winston Churchill. London 1940

BROAD, LEWIS: Winston Churchill. London 1941

CHAPLIN, E. D. W.: Winston Churchill and Harrow. Harrow 1941

DAVIS, RICHARD H.: The young Winston Churchill. New York 1941

GUEDALLA, PHILIP: Mr. Churchill. A portrait. London 1941

MANNING, PAUL, und M. BRONNER: Mr. England. The life story of Winston Churchill. Toronto 1941

MOIR, PHYLLIS: I was Winston Churchill's private secretary. New York 1941

NOTT, STANLEY: The young Churchill. New York 1941

READE, JOHN C.: Winston Spencer Churchill – man of valor. Toronto 1941

HAWTHORN, HILDEGARD: Long adventure. The story of Winston Churchill. New York 1942

KIERMAN, R. H.: Churchill. London 1942

STRATFORD, ESME W.: Churchill. The making of a hero. London 1942

BURBRIDGE, WILLIAM F.: The Rt. Hon. Winston Leonard Spencer Churchill. London 1943

PANETH, PHILIP: The Prime Minister Winston Churchill – as seen by his enemies and friends. London 1943

McCABE, JOSEPH: Winston Churchill. The man and his creed. London 1944

CHOWN, J. L.: Life and times of Winston S. Churchill. Wolverhampton 1945

EDEN, GUY: Portrait of Churchill. London 1945

HAGBERG, KNUT: Winston Churchill. Stockholm 1944. – Dt.: Winston Churchill. Stockholm 1945

THOMPSON, MALCOLM: The life and times of Winston Churchill. London 1945

HILDITCH, NEVILLE: In praise of Churchill. London 1946

LEHNHOFF, FRANZ: Winston Churchill. Engländer und Europäer. Köln 1949

HUGHES, EMRYS: Winston Churchill in war and peace. Glasgow 1950

LOCKHART, JOHN G.: Winston Churchill. London 1951

THOMPSON, W. H.: I was Churchill's shadow. London 1951 – Dt.: Churchill und sein Schatten. Im Dienste des englischen Kriegspremiers. Frankfurt a. M. 1952

TAYLOR, ROBERT LEWIS: Winston Churchill, New York 1952

THOMPSON, W. H.: Sixty minutes with Winston Churchill. London 1953

COWLES, VIRGINIA: Winston Churchill. The era and the man. London 1953. – Dt.: Winston Churchill. Der Mann und seine Zeit. Wien 1954

Winston Churchill by his contemporaries. Hg. CHARLES EADE. London 1953

NEILSON, FRANCIS: The Churchill legend. New York 1954

Winston Churchill. The greatest figure of our time. An eightieth years tribute. Hg. BRUCE S. INGRAM. London 1954

Winston Spencer Churchill – servant of Crown and Commonwealth. A tribute by various hands presented to him on his 80th birthday. Hg. JAMES MARCHANT. London 1954.

Churchill – the man of the century. Hg. NEIL FERRIER. London 1955

MARSH, JOHN: The young Winston Churchill. London 1955

CONNELL, JOHN: Winston Churchill. London 1956

MENDELSSOHN, PETER DE: Churchill. Sein Weg und seine Welt. [Nur] Bd. 1. Freiburg i. Br. 1957. – Bd. 1. Erbe und Abenteuer. Die Jugend Winston Churchills, 1874–1914

MILLER, N. TATLOCK; LOUDON SAINTHILL: Churchill. The walk with destiny. London 1958

AMÉRY, JEAN: Winston S. Churchill. Ein Jahrhundert Zeitgeschichte. Luzern 1965

CARTER, V. B.: Winston Churchill. An intimate portrait. New York 1965

CHURCHILL, RANDOLPH S. [ab Bd. 3: MARTIN GILBERT]: Winston S. Churchill. 8 Bde. [dazu 5 mehrteilige Begleitbände]. London. Bd. 1. Youth. 1874 – 1900. 1966. – Bd. 2. Young statesman. 1901–1914. 1967. – Bd. 3. 1914–16. 1971. – Bd. 4. 1916–22. 1975. – Bd. 5. 1922–39. 1976 – Bd. 6. Finest hour. 1939–41. 1983. – Bd. 7. Road to victory. 1941–45. 1986. – Bd. 8. Never despair. 1945 – 65. 1988

MORAN, CHARLES MACMORAN WILSON: Churchill. Der Kampf ums Überleben, 1940–1965. München u. a. 1967

DEAKIN, FREDERICK WILLIAM DAMPIER: Churchill, the historian. Zürich 1969

MASON, DAVID: Churchill. New York 1972

SCHOENEFELD, MAXWELL PHILIP: Sir Winston Churchill. His life and times. Hinsdale, Ill. 1973

STANSKY, PETER: Churchill. A profile. New York 1973

THOMPSON, REGINALD WILLIAM: Generalissimo Churchill. London 1973

AIGNER, DIETRICH: Winston Churchill. Ruhm und Legende. Göttingen 1974

LONGFORD, ELIZABETH H. P. COUNTESS OF: Winston Churchill. London 1974

PELLING, HENRY: Winston Churchill. London 1974

PILPEL, ROBERT H.: Churchill in America 1895–1961. An effectionate portrait. New York 1976

SCHNEIDER, ROBERT W.: Novelist to a generation. The life and thought of Winston Churchill. Bowling Green, Ohio 1976

WEIDHORN, MANFRED: Sir Winston Churchill. Boston 1979

GILBERT, MARTIN: Churchill. Garden City, N. Y. 1980

HUMES, JAMES C.: Winston Churchill, speaker of the century. New York 1980

COLVILLE, JOHN: The Churchillians. London 1981

MORGAN, TED: Churchill. Young man in a hurry, 1874–1915. New York 1982

SOAMES, MARY: A Churchill family album. London 1982

MANCHESTER, WILLIAM: Winston Spencer Churchill. 2 Bde. Boston 1983–1988. – Bd. 1. The last lion. Visions of glory, 1874–1932. – Bd. 2. The caged lion, 1932–1940. – Dt.: Winston Churchill. 2 Bde. München 1989–1990. Bd. 1. Der Traum vom Ruhm, 1874–1932. 1989. – Bd. 2. Allein gegen Hitler, 1932–1940. 1990

BRENDON, PIERS: Churchill. München 1984

HUGHES, EMRYS: Churchill. Ein Mann in seinem Widerspruch. Kiel 1986

IRVING, DAVID: Churchill's war. Bd. 1 ff. Bullsbrook, W. A. 1987 ff. – Bd. 1. The struggle for power. 1987. – Dt.: Churchill. Bd. 1. München 1990. Bd. 1. Kampf um die Macht

GILBERT, MARTIN: Prophet of truth. Winston S. Churchill, 1922–1939. London 1990

HOUGH, RICHARD: Winston and Clementine. The triumph of the Churchills. London 1990

GILBERT, MARTIN: Churchill. A life. London u. a. 1991

PEARSON, JOHN: The private lives of Winston Churchill. New York u. a. 1991

SMITH, RONALD A.: Churchill. Images of greatness. London [1991]

ROBBINS, KEITH: Churchill. London u. a. 1992

CHARMLEY, JOHN: Churchill, the end of glory. A political biography. London u. a. 1993 – Dt.: Churchill. Das Ende einer Legende. Berlin u. a. 1995

PONTING, CLIVE: Churchill. London u. a. 1994

ROSE, NORMAN: Churchill. An unruly life. London u. a. 1994

SANDYS, CELIA: From Winston with love and kisses. The young Churchill. London u. a. 1994

BROWNE, ANTHONY MONTAGUE: Long sunset. Memoirs of Winston Churchill's last private secretary. London 1995

NEVILLE, PETER: Winston Churchill. Statesman or opportunist? London 1996

KROCKOW, CHRISTIAN VON: Churchill. Eine Biographie des 20. Jahrhunderts. Hamburg 1999

4. Einzeldarstellungen

SITWELL, OSBERT: The Winstonburg line. London 1919

KEYNES, J. M.: The economic consequences of Mr. Churchill. London 1925

MUIR, JOHN RAMSAY B: Rating reform. An examination of Mr. Churchill's proposals. London 1928

DAWSON, ROBERT M.: Winston Churchill at the Admirality, 1911–1915. Oxford 1940

KRAUS, RENÉ: The men around Winston Churchill. Philadelphia 1941

HIRA LAL SETH: Churchill on India. Lahore 1942

NARAYAN GOPAL JOG: Churchill's blind-spot: India. Bombay 1944

HENDERSON, HORACE W.: The truth about the Churchill-Stalin controversy. Glasgow 1946

ROUGIER, LOUIS: Mission secrète à Londres. Les accords Pétain-Churchill. Nouv. éd. rev. et augm. Genf 1946

Dunkirk to Berlin, June 1940–July 1945. A map of the journeys undertaken by the Rt. Hon. Winston Churchill. London 1947

FEIS, HERBERT: Churchill – Roosevelt – Stalin. Oxford 1957

HIGGINS, TRUMBULL: Winston Churchill and the second front. Oxford 1957

NEL, ELIZABETH: Mr. Churchill's secretary. London 1958

ROWSE, A. L.: The later Churchills. London 1958

ROWSE, A. L.: The early Churchills: An English family. London 1959

BROAD, LEWIS: The war that Churchill waged. London 1960

GRAUBARD, STEPHEN R.: Burke, Disraeli and Churchill. The politics of perseverance. Cambridge, Mass. 1961

IRVING, DAVID: Accident. The death of General Sikorski. London 1967. – Dt.: Mord aus Staatsräson. Churchill und Sikorski, eine tragische Allianz. Bern u.a. 1969

THOMPSON, REGINALD WILLIAM: Churchill and the Montgomery myth. New York 1968

GRETTON, PETER: Winston Churchill and the Royal Navy. New York 1969

WILSON, THEODORE: The first summit. Roosevelt and Churchill at Placentia Bay, 1941. Boston 1969

BLONCOURT, PAULINE: An old and a younger leader. Winston Churchill and John Kennedy. London 1970

JAMES, ROBERT RHODES: Churchill. A study in failure, 1900–1939. London 1970

MARDER, ARTHUR JACOB: Winston is back: Churchill at the Admiralty, 1939–40. London 1972

SCHOENFELD, MAXWELL PHILIP: The war ministry of Winston Churchill. Ames 1972

ADÉ, ANNEMARIE: Winston Churchill und die Palästina-Frage 1917–1948. Zürich 1973

BOADLE, DONALD GRAEME: Winston Churchill and the German question in British foreign policy 1918–1922. The Hague 1973

LEWIN, RONALD: Churchill as warlord. New York 1973

RABINOWICZ, OSKAR K.: Winston Churchill on Jewish problems. Westport, Conn. 1974

WEIDHORN, MANFRED: Sword and pen. A survey of the writings of Sir Winston Churchill. Albuquerque 1974

SCHMIDT, ALEX P.: Churchills privater Krieg. Intervention und Konterrevolution im russischen Bürgerkrieg, Nov. 1918–März 1920. Zürich 1975

AMÉRY, JULIAN: What was Winston Churchill's political philosophy? Zürich 1976

LASH, JOSEPH P.: Roosevelt and Churchill, 1939–1941. The partnership that saved the west. New York 1976

ROSKILL, STEPHEN: Churchill and the admirals. London 1977

SMITH, ARTHUR LEE: Churchill's german army. Wartime strategy and cold war politics, 1943–1947. Beverly Hills 1977. – Dt.: Churchills deutsche Armee. Bergisch-Gladbach 1983

BARKER, ELISABETH: Churchill and Eden at war. London 1978

MOORE, ROBIN JAMES: Churchill, Cripps, and India, 1939–1945. Oxford u. a. 1979

SOAMES, MARY: Clementine Churchill. London 1979

THOMPSON, CARLOS: Die Verleumdung des Winston Churchill. München u. a. 1980

LEE, JOHN MICHAEL: The Churchill coalition, 1940–1945. London 1980

COLVILLE, JOHN RUPERT: Winston Churchill and his inner circle. New York 1981

GILBERT, MARTIN: Churchill's political philosophy. Thankoffering to Britain Fund Lectures. Oxford 1981

PITT, BARRIE: Churchill and the generals. London 1981

KERSAUDY, FRANÇOIS: Churchill and de Gaulle. London 1981

SELDON, ANTHONY: Churchill's Indian summer, 1951–1955. London 1981

Statesmanship. Essays in honor of Sir Winston Spencer Churchill. Hg. HARRY V. JAFFA. Durham, N. C. 1981

PRIOR, ROBIN: Churchill's «World crisis» as history. London 1983

THOMPSON, KENNETH W.: Winston Churchill's world view. Baton Rouge, Louis. 1983

VENKATARAMANI, M. S.: Roosevelt, Gandhi, Churchill. New Delhi 1983

BÖTTGER, PETER: Winston Churchill und die «Zweite Front» (1941–1943). Frankfurt a. M. 1984

CALLAHAN, RAYMOND: Churchill. Retreat from Empire. Wilmington 1984

IRVING, DAVID: Churchill, 1936–1945. Hamburg 1984

BACIU, NICOLAS: Verraten und verkauft. Der tragische Fehler Churchills und Roosevelts in Osteuropa. Tübingen 1985

DAY, DAVID: Menzies and Churchill at war. London 1986

MORRIS, ERIC: Churchill's private armies. British forces in Europe, 1939–1942. London 1986

SCHWINGE, ERICH: Churchill und Roosevelt aus kontinentaleuropäischer Sicht. 4. verb. Aufl. Marburg 1986

ADDISON, PAUL: Churchill in British politics, 1940–55. In: The political culture of modern Britain. Studies in memory of Stephen Koss. Hg. J. M. W. BEAN. London 1987, S. 243–261

HOLLEY, DARRELL: Churchill's literary allusions. An index to the education of a soldier, statesman and litterateur. Jefferson u. a. 1987

KITCHEN, MARTIN: Winston Churchill and the Soviet Union during the Second World War. In: Historical journal 30 (1987), S. 415–436

BROWN, ANTHONY CAVE: The secret servant. The life of Sir Stewart Menzies, Churchill's spymaster. London 1988

The foreign policy of Churchill's peacetime administration, 1951–1955. Hg. JOHN W. YOUNG. Leicester 1988

MINER, STEVEN MERRITT: Between Churchill and Stalin. The Soviet Union, Great Britain, and the origins of the Grand Alliance. Chapel Hill u. a. 1988

YOUNG, JOHN W.: Churchill's bid for peace with Moscow, 1954. In: History 73 (1988), S. 425–448

DILKS, DAVID N.: Churchill as negotiator at Yalta. In: Yalta. Un mito che resiste. Roma [1989], S. 91–115

MORRIS, ERIC: Guerrillas in uniform. Churchill's private armies in the Middle East and the war against Japan, 1940–1945. London 1989

WELLEMS, HUGO: Das Jahrhundert der Lüge. Von der Reichsgründung bis Potsdam 1871–1945. 2. Aufl. Kiel 1989

ARASA, DANIEL: Els catalans de Churchill. Barcelona 1990

BEN-MOSHE, TUVIA: Winston Churchill and the «second front». A reappraisal. In: Journal of modern history 62 (1990), S. 503–537

JABLONSKY, DAVID: Churchill, the great game and total war. London 1990

LUKACS, JOHN: The duel. Hitler vs. Churchill: 10 May–31 July 1940. London 1990. – Dt.: Churchill und Hitler. Der Zweikampf, 10. Mai–31. Juli 1940. Stuttgart 1992

MARTIN, DAVID: The web of disinformation. Churchill's Yugoslav blunder. San Diego u. a. 1990

NADEAU, REMI: Stalin, Churchill, and Roosevelt divide Europe. New York u. a. 1990

RUSSELL, DOUGLAS S.: The orders, decorations, and medals of Sir Winston Churchill. Hopkinton, New Hampshire 1990

SOAMES, MARY: Winston Churchill. His life as a painter. A memoir by his daughter. London 1990

VERRIER, ANTHONY: Assassination in Algiers. Churchill, Roosevelt, de Gaulle, and the murder of Admiral Darlan. New York u.a. 1990

ARASA, DANIEL: Los españoles de Churchill. Barcelona 1991

BEN-MOSHE, TUVIA: Churchill: strategy and history. Hemel Hempstead 1991

Churchill's generals. Hg. JOHN KEEGAN. London 1991

EDMONDS, ROBIN: The big three. Churchill, Roosevelt and Stalin in peace and war. London 1991. – Dt.: Die großen Drei. Churchill, Roosevelt und Stalin in Frieden und Krieg. Berlin 1992

JACOBSEN, M.: Winston Churchill and the third front. In: Journal of strategic studies 14 (1991), S. 337–362

JEFFERYS, KEVIN: The Churchill coalition and wartime politics, 1940–1945. Manchester u.a. 1991

LAMB, RICHARD: Churchill as war leader – right or wrong? London 1991

PEARSON, JOHN: Citadel of the heart. Winston and the Churchill dynasty. London 1991

QUINAULT, ROLAND: Churchill and Russia. In: War and Society 9/1 (1991), S. 99–120

RUSBRIDGER, JAMES; ERIC NAVE: Betrayal at Pearl Harbor. How Churchill lured Roosevelt into war. London 1991

SFIKAS, THANASIS D.: «The people at the top can do these things, which others can't do». Winston Churchill and the Greeks, 1940–1945. In: Journal of contemporary history 26 (1991), S. 307–332

WENDEN, D. J.; K. R. M. SHORT: Winston S. Churchill – film fan. In: Historical journal of film, radio and television 11 (1991), S. 197–214

ADDISON, PAUL: Churchill on the Home Front, 1900–1955. London 1992

ALLDRITT, KEITH: Churchill the writer. His life as a man of letters. London 1992

BEARSE, RAY; ANTHONY READ: Conspirator. Untold Story of Churchill, Roosevelt and Tyler Kent, Spy. London 1992

COCKS, A. E.: Churchill's secret army, 1939–45. Lewes 1992

MAYER, FRANK A.: The opposition years. Winston S. Churchill and the Conservative Party, 1945–1951. New York u.a. 1992

WEIDHORN, MANFRED: A harmony of interests. Explorations in the mind of Sir Winston Churchill. Rutherford u.a. 1992

WOODS, FREDERICK: Artillery of words. The writings of Sir Winston Churchill. London 1992

ADDISON, PAUL: Destiny, history and providence. The religion of Winston Churchill. In: Public and private doctrine. Essays in British history presented to Maurice Cowling. Hg. MICHAEL BENTLEY. Cambridge 1993, S. 236–250

Churchill. Hg. ROBERT BLAKE u.a. Oxford u.a. 1993

DELPLA, FRANÇOIS: Churchill et les Français. Six personnages dans la tourmente 1939–1940. Paris 1993

LAMBAKIS, STEVEN JAMES: Winston Churchill, architect of peace. A study of statesmanship and the Cold War. Westport, Conn. u.a. 1993

SAINSBURY, KEITH: Churchill and Roosevelt at war. The war they fought and the peace they hoped to make. Houndmills 1994

DAVID, SAUL: Churchill's sacrifice of the Highland Division, France, 1940. London u.a. 1994

GILBERT, MARTIN: In search of Churchill. A historian's journey. London 1994

JABLONSKY, DAVID: Churchill and Hitler. Essays on the political-military direction of total war. Portland 1994

KILZER, LOUIS C.: Churchill's deception. The dark secret that destroyed Nazi Germany. New York 1994

LARRES, KLAUS: Neutralisierung oder Westintegration? Churchill, Adenauer, die USA und der 17. Juni 1953. In: Deutschland Archiv 27 (1994), S. 568–585

LAWLOR, SHEILA: Churchill and the politics of war, 1940–1941. Cambridge u.a. 1994

ROBERTS, ANDREW: Eminent Churchillians. London 1994

SCHMIDT, RAINER F.: Der Heß-Flug und das Kabinett Churchill. Hitlers Stellvertreter im Kalkül der britischen Kriegsdiplomatie, Mai–Juni 1941. In: Vierteljahrshefte für Zeitgeschichte 42 (1994), S. 1–38

SCHWARZ, HANS-PETER: Churchill and Adenauer. Cambridge u.a. [1994]

SNELL, ELIZABETH: The Churchills. Pioneers and politicians. England–America–Canada. Tiverton 1994

THOMAS, DAVID A.: Churchill. A member for Woodford. Ilford, Essex 1994

ALLDRITT, KEITH: The greatest of friends. Franklin D. Roosevelt and Winston Churchill, 1941–1945. London 1995

ANTUNES, JOSÉ FREIRE: Roosevelt, Churchill e Salazar. A luta pelos Açores. Alfragide u.a. 1995

BLAKE, ROBERT: Winston Churchill as historian. In: Adventures with Britannia. Personalities, politics and culture in Britain. Hg. WILLIAM ROGER LOUIS. London 1995, S. 41–50

CAVALLERI, GIORGIO: Ombre sul lago. dal carteggio Churchill-Mussolini all'oro del PCI. Casale Monferrato, AL 1995

CHARMLEY, JOHN: Churchill's grand alliance. The Anglo-American special relationship, 1940–57. London 1995

DANCHEV, ALEX: Waltzing with Winston. Civil-military relations in Britain in the Second World War. In: War in history 2 (1995), S. 202–230

JACKSON, ROBERT: Churchill's moat. The Channel War, 1939–1945. Shrewsbury 1995

LARRES, KLAUS: Politik der Illusionen. Churchill, Eisenhower und die deutsche Frage. Göttingen 1995

RAMSDEN, JOHN: Winston Churchill and the leadership of the Conservative Party, 1940–51. In: Contemporary record 9 (1995) S. 99–119

SHOGAN, ROBERT: Hard bargain. How FDR twisted Churchill's arm, evaded the law, and changed the role of the American presidency. New York u. a. 1995

WILSON, THOMAS: Churchill and the Prof. London 1995

Winston Churchill. Studies in statesmanship. Hg. R. A. C. PARKER. London u. a. 1995

DENNISTON, ROBIN: Churchill's secret war. Stroud 1996

PELLING, HENRY: Churchill's peacetime ministry, 1951–55. Basingstoke 1996

VOGT, WERNER: Winston Churchill. Mahnung, Hoffnung und Vision, 1938–1946. Das Churchill-Bild in der Berichterstattung und Kommentierung der Neuen Zürcher Zeitung und die unternehmensgeschichtlichen Hintergründe. Zürich 1996

WASZAK, LEON J.: Agreement in principle. The wartime partnership of General Wladyslaw Sikorski and Winston Churchill. New York u. a. 1996

Winston Churchill. Resolution, defiance, magnanimity, good will. Hg. R. CROSBY KEMPER III. Columbia u. a. 1996

YOUNG, JOHN W.: Winston Churchill's last campaign. Britain and the Cold War, 1951–5. Oxford 1996

STAFFORD, DAVID: Churchill and Secret Service. Woodstock, N. Y. 1998

CARLTON, DAVID: Churchill and the Soviet Union. Manchester u. a. 2000

FOLLY, MARTIN H.: Churchill, Whitehall, and the Soviet Union, 1940–45. Basingstoke 2000

PARKER, ROBERT A. C.: Churchill and appeasement. London u. a. 2000

STEWART, GRAHAM: Burying Caesar. Churchill, Chamberlain and the battle for the Tory party. London 2000

5. Illustrierte Ausgaben

KRAUS, RENÉ: Winston Churchill in the mirror. His life in pictures and story. New York 1944

TUCKER, BEN: Winston Churchill. His life in pictures. London 1945

Poy's Churchill. A collection of cartoons by Poy. London 1954

Churchill. His life in photographs. Hg. RANDOLPH S. CHURCHILL u. a. London 1955

Winston Churchill. A cartoon biography. Hg. FRED URQUHART. London 1955

MOOREHEAD, ALAN: Churchill. A pictorial biography. London 1960

Winston S. Churchill. Chronik eines glorreichen Lebens. Ein Bildband. Zürich 1966

GILBERT, MARTIN: Churchill. A photographic portrait. London 1974

NAMENREGISTER

Die kursiv gesetzten Zahlen bezeichnen die Abbildungen

ÜBER DEN AUTOR

Sebastian Haffner (eigentl. Raimund Pretzel) wurde am 27. Dezember 1907 in Berlin geboren. Nach einem Jurastudium machte er 1933 das Assessorexamen und wurde 1935 zum Dr. jur. promoviert. Daneben veröffentlichte er schon in den zwanziger Jahren journalistische und literarische Arbeiten. 1939 ging er mit seiner jüdischen Verlobten nach England ins Exil. 1954 kehrte er nach Berlin zurück und wurde zu einem der einflußreichsten Publizisten der deutschen Nachkriegsgeschichte. Er starb am 2. Januar 1999.

Ausgewählte Buchveröffentlichungen: «Germany: Jekyll and Hyde» (1942; dt. 1996), «Die verratene Revolution. Deutschland 1918/19» (1970), «Anmerkungen zu Hitler» (1978), «Preußen ohne Legende» (1979), «Überlegungen eines Wechselwählers» (1980), «Von Bismarck zu Hitler» (1987), «Geschichte eines Deutschen» (geschrieben 1939, veröffentlicht 2000).

QUELLENNACHWEIS DER ABBILDUNGEN

Ernest Neuschub: 6 / ullstein bild, Berlin: 8, 12, 13, 15, 32, 37, 48, 51, 52, 54, 55, 57, 66, 78, 86, 88/89, 97, 101, 110/111, 120/121, 135, 149, 151, 154 / dpa Hamburg: 10, 112, 125, 126/127 / Süddeutscher Verlag. Bilderdienst, München: 16, 39, 46, 47, 71, 81, 138 / Radio Times: 17, 19, 21, 25, 27, 34, 45, 50, 53, 56, 72, 77, 92, 95, 115, 131, 133, 139, 167 / Alan Moorehead: 35, 43, 60, 61, 143, 144/145 / Keystone: 82, 98 / Rowohlt-Archiv, Reinbek bei Hamburg: 132, 168 / Hugo Schmidt, Hamburg: 146 / Ullstein-dpa: 164